다윗

다윗

열여섯 장면으로 이루어진 극

지은이 D. H. 로렌스

옮긴이 송옥

도서출판 | 동인

책을 내며

찰스 디킨스는 그의 소설 『두 도시 이야기』에서 "그 시절은 가장 나쁜 때였고, 가장 좋은 때였다"라고 쓰고 있다. 이 말은 우리가 살아가는 21세기 오늘 이 시대에도 해당한다고 생각한다. 창세기 때부터 역사는 반복되어 과연 하늘 아래 새것이 없다는 사실을 긍정하게 된다. 내가 다니는 새한교회의 "성경다독대회"를 통해서 나는 매년 한 번은 성경을 통독할 기회가 있다. 그런데, 그때마다 유독 나의 관심을 끄는 부분은 구약성서의 사무엘서이다. 사울과 다윗의 갈등 문제에서 드러나는 인간사는 내게 강한 호소력을 불러일으킨다. 그런 가운데 D. H. 로렌스의 『다윗』 텍스트를 PGA(프로젝트 구텐베르크 오스트레일리아)를 통해 알게 되어 번역하게 되었다.

로렌스가 드라마를 썼다는 사실을 아는 사람은 로렌스 문학 전공자 외에는 거의 없을 듯하다. 그도 그럴 것이, 『채털리 남작 부인의 사랑』처럼 그의 소설들이 곧잘 외설 시비에 시달리면서 그는 세상에 소설가로 이름이 알려지게 되었기 때문이다. 로렌스는 소설가였을 뿐만 아니라 수백 편에 달하는 시를 쓴 시인이며 화가이기도 한 다재다능한 예술가였다. 특히 그의 「뱀」은 어린이 시집에도 자주 등장할 만큼 세대를 불문하고 읽히는 명시로 꼽힌다.

로렌스의 『다윗』은 극의 구성이 치밀하지 못한 약점이 있지만, 그럼에도 불구하고 성서의 레토릭이 주는 울림과 나름의 감동이 있다. 그것은 우수한 작가들이 그렇듯, 인간 심리와 심성의 근간에 초점을 맞추고 있기 때문이다. 오늘날의 독자가 읽기에 어색하거나 이해가 잘 안 되는 부분들은 역자가 과감한 의역을 했고, 작품에 대한 나름의 고찰은 역자 후기로 남긴다. 그리고 독자의 도움을 위해 이 극의 근거인 성경의 사무엘상 15장에서 20장의 본문과 주요 인물들에 대한 짧은 설명을 이 책 뒤쪽에 부록으로 담는다.

내가 책을 낼 때마다 변함없이 멋진 표지를 만들어 주시는 이영순 선생님께 감사드린다. 또 코로나 방역 사태로 인해 심히 어려운 때임에도 불구하고 항상 긍정적 자세로 책을 출판해 주시는 이성모 사장님께 감사드린다.

역자 송옥

작가 소개

D. H. 로렌스(David Herbert Lawrence, 1885-1930)는 영국의 시인, 소설가, 극작가이다. 영국 노팅엄에서 광부의 아들로 태어났다. 그는 노팅엄 대학의 장학생으로 입학하여 2년을 보낸 후 3년간(1908-11) 교사 생활을 하였다. 노팅엄 대학 시절 그는 두 아이의 어머니인 교수의 부인 프리다와 사랑에 빠져 독일로 도피 여행을 하였다. 그리고 그녀가 이혼하자 이들은 1914년 결혼했다. 이때부터 로렌스는 고국에서 편안한 생활을 하지 못하고 이태리, 오스트레일리아, 멕시코, 미국 등 세계 여러 곳을 다니며 생활하다 프랑스 남부에서 죽었다.

그의 체험에서 영감을 얻고 쓴 첫 소설 『하얀 공작』의 주인공도 광부의 아들로 태어나 어머니의 과잉보호 아래 자란 인물이다. 그의 자서전적 소설 『아들과 연인』은 그를 널리 알려지게 하였으며, 그가 계속해서 발표한 소설 『무지개』와 『사랑하는 여인들』은 비평가들과 독자들로부터 외설적이라는 평을 들었다. 그의 작품 배경은 대체로 성에 대한 빅토리아 시대의 금기를 거부하는 것으로 이루어졌다. 로렌스는 문명화되지 않고 인위적이지 않은, 자연 그대로의 인물을 그리고 싶어 했다. 촌스러울지는 모르나, 꾸미지 않은 실제적인 성격의 인물 창조를 추구한 것이다. 『채털리 남작 부인의 사랑』은 그런 의미에서 로렌스의 뜻을 잘 드러내 주는 작품이다. 성적 불구자 남편에게 매여 있는 주인공은 품위 있고 우아하지만, 본능에 따르는 삶을 사랑한다. 그런 그녀는 세련되지 않아도 삶의 박동감 넘치는 본능에 충실한 사냥터 관리인과 성적 관계를 맺으면서 관습적인 사회로부터 해방감과 만족감을 얻는다.

로렌스 작품에 거듭 드러나는 주제는 인간과 사회적 환경, 세대 간의 갈등, 본능과 이성, 그리고 주로 결혼생활의 부부 문제이다. 이후 미국의 극작가 에드워드 얼비의 선풍적인 작품 『누가 버지니아 울프를 두려워하랴』(1962)는 의식적이든 무의식적이든, 로렌스가 제기한 부부 문제를 극렬하게 반영한 극으로 볼 수 있다.

로렌스는 수백 편에 달하는 시를 썼으며, 그중 시인들의 모음집에 자주 등장하는 「뱀」은 자연에서 멀어진 현대인과의 미묘한 종교적 관계를 암시하는 시이다. 그의 시 가운데 「피아노」는 대표작으로 뽑힌다. 피아노 앞에서 노래하는 여인은 이를 듣는 시인에게 어린 시절 그에게 노래 불러주던 어머니를 떠올리고, 어떻게 그의 기억이 어른스러운 남성성을 쓸어버렸는지 돌이켜본다. 이 시는 어른이 된 지금도 그를 휘두르는 어머니의 지배력에 관한 시이다. 시의 마지막은 이렇게 끝맺는다. "추억의 홍수에 내 어른됨은 떠내려가고 나는 아이처럼 옛날 생각에 흐느껴 운다."

로렌스는 모든 시는 개인적 정취를 지녀야 하고 즉흥적 감각은 필수라고 생각했다. 18세기 영국의 신비적인 시인 윌리엄 블레이크를 연상시키는 시적 감각과 환상적 안목을 지닌 작가이다. 블레이크처럼 로렌스도 품위 있는 체하고 본능을 짓누르려는 욕구에 강한 반감을 지녔다. 이성으로 가려지는 내면의 어두운 세계에 대한 그의 믿음은 블레이크가 지닌 투시력에 대한 믿음을 공감하고 이를 그의 시에 반영했다. 그는 본능적 충동과 이를 제어하는 이성, 이 두 가지 반대되는 힘이 서로 조화를 이루기를 바랐다. 로렌스의 관점은 현대 교육의 문제점을 지적하면서 인간이 기계처럼, 기계의 노예처럼, 이를테면 채털리 부인의 상징적인 불구 남편처럼, 피도 열정도 없는 기계처럼 살면 안 된다고 주장한다. 원초적인 인간 본성을 다시 찾아야 한다는 것이 그의 메시지이다.

로렌스는 창작품 외에도 『무의식의 환상』, 『심리해부와 무의식』, 『고전미국문학 연구』와 같은 문학비평서를 출간했다. 그리고 그는 글쓰기 이외에 화가로서도 이름을 알렸다.

로렌스의 소설과 시는 그가 살아 있는 동안 널리 알려졌으나, 극은 그렇지 못했다. 그의 소설에 나타난 노골적인 성적 솔직함 때문에 그의 극 작품도 검열 대상이 되었다. 『다윗』은 성서의 서사시적 이야기였기에 스테이지 소사이어티에 의해 1927년 공연될 수 있었고 그의 3부작의 첫째 편인 『어느 광부의 금요일 밤』도 공연되었다. 당시 도시풍의 세련된 관객들은 노팅엄 탄광 주민들의 하층 생활을 다룬 무대에 흥미를 느끼지 않았다. 요컨대 당시의 관객은 노동 계층의 감정에는 관심이 없었다. 대체로 로렌스의 주인공들은 자기보다 낮은 계층의 남자와 결혼한 교육받은 강한 여인들이다. 이들은 작가 자신의 가정환경과 비슷하여 그의 자전적 소설 『아들과 연인』과 흡사하다. 예컨대, 『어느 광부의 금요일 밤』은 플롯이 거의 없는 단순한 극으로 어느 금요일 저녁의 일상적인 사건을 다룬다. 대학생 아들이 귀가하고 여자 친구가 그와 함께 저녁 시간을 보내려고 방문한다. 청춘 남녀는 단둘이 서로에게 빠져 있어서 저녁상에 오를 빵이 다 타도록 모른다. 아들에 대한 소유욕이 강한 어머니의 질투심이 폭발한다. 그날의 고된 탄광 일을 마치고 동네 선술집에서 한잔 걸치고 귀가한 아버지와 어머니는 언쟁을 벌인다. 이 극은 이들이 왜 이런 모습으로 살아야 하는지 관객으로 하여금 생각하게 만든다. 3부작의 2편, 3편 모두 비슷한 분위기이다. 2편에서 갓 결혼한 신부의 시어머니에 대한 푸념 가운데 "남자들이 모두 어머니 손안에 들어 있는데 어떻게 남편을 아내가 소유할 수 있겠는가? 이건 무언가 잘못된 일이다"라는 대사가 있다. 의심할 여지없이 이건 확실히 잘못된 일이다. 그러나 며느리 역시 그녀가 싫어하는 시어머니의 강한 지배욕과 잔인한 자질을 잉태하고 있음이 드러난다.

로렌스는 모두 10편의 극을 썼다. 그의 다른 극들은 작가가 사망한 후 거의 40년이 지난 1967-68년에야 비로소 영국의 연극 비평가들에 의해 발견되었다. 연극인 피터 길의 노력으로 그의 3부작 『어느 광부의 금요일 밤』 『며느리』 『폴로이드 부인의 과부 되기』가 1965-67년 로얄코트의 무대에서 재공연되었는데, 이때 관객 반응은 좋은 것으로 기록되어 있다.

앞서 밝힌 대로 로렌스는 스스로 망명자가 되어 평생을 외지에서 지내다시피 했다. 그렇지 않고 영국에 머물러 살았더라면, 그가 흠모하는 아일랜드 극작가 존 밀링턴 싱(1871-1909)만큼 좋은 극작가가 될 수 있었을 것이다. 연극은 시나 소설 장르와 달리 공연예술이기 때문에 무대가 절대적인 테스팅 그라운드, 즉 시험장이 된다. 무대의 장면을 직접 보고 들으면서 살필 때 수정할 부분을 발견한다. 극작가에게 무대는 화가의 캔버스라고 할 수 있다. 로렌스는 극장과 떨어져 있었기 때문에 그의 극적 재능을 비옥하게 키울 기회가 없었다. 윌리엄 포크너, 어니스트 헤밍웨이, 스콧 피츠제럴드 같은 굴지의 소설가들도 극작에 손을 댔지만, 관심을 얻지 못하고 모두 실패했다. 우수한 극작가들은 거의 예외 없이 극장 무대 가까이서 활동했다. 그리스 극작가들이 그러했고 르네상스 작가들이 그랬다. 셰익스피어나 몰리에르는 그들 자신이 극작가 겸 배우였으니 더 말할 나위 없고, 현대 드라마에서도 입센, 스트린드베리히, 체홉, 브레히트, 오닐 등 연극사에 획을 그은 극작가들은 한결같이 무대에 익숙한 예술가들이었다. 그런 점에서 극작가로서의 로렌스가 놓친 부분들이 아쉽다.

| 차 례 |

『다윗』(1926)

열여섯 장면으로 이루어진 극

| 등장인물 |

다윗	이새의 아들
사울	이스라엘 왕
사무엘	하나님의 선지자
요나단	사울의 아들
아브넬	사울의 군대 장수
아각	아말렉 왕
메랍	사울의 큰 딸
미갈	사울의 작은 딸
하녀	미갈의 하녀
처녀들	메랍과 미갈의 친구들
이새	다윗의 아버지

엘리압, 아비나답, 삼마 다윗의 형들

다윗의 넷째, 다섯째, 여섯째, 일곱째 형들

아드리엘 므홀랏 사람

장수들, 병사들, 장로들, 시종, 전령, 목동들, 이웃들, 선지자들, 예언자들, 군사 대장, 소년

| 장 면 |

장면 1 길갈의 사울 집 안뜰

장면 2 라마의 한 방

장면 3 베들레헴 마을의 광장

장면 4 이새의 집안 마당

장면 5 길갈의 사울 집

장면 6 길갈의 사울 집 정원

장면 7 엘라에 있는 이스라엘 막사

장면 8 엘라에 있는 왕의 막사

장면 9 길갈의 사울 집 안뜰 외곽

장면 10 길갈의 사울 집 안뜰

장면 11 길갈의 사울 왕의 집 어느 방

장면 12 길갈의 우물가

장면 13 길갈의 다윗 집의 한 방

장면 14 장면 13과 같은 방

장면 15 라마의 나욧

장면 16 길갈 외곽 들판의 바위 동산

▌첫째 장면: 길갈의 사울 집 안뜰: 뒤에는 벽돌집이 둘러 있다.

(헛간 기둥에 단단히 결박된 아각이 땅바닥에 앉아 있다. 헛간 창쪽에 남자들이 서 있다. 사울의 두 딸 메랍과 미갈이 탬버린 악기를 들고, 주위에 처녀들과 함께 있다.)

메랍 (*춤추고 뛰면서*) 사울 왕이 아말렉의 전리품을 갖고 돌아오셨다.

처녀들 아말렉 족속아! 이봐라! 아말렉 족속아!

미갈 사울 왕이 스루의 사막에서 창을 던져 아말렉 족속의 심장을 꿰뚫었어.

처녀들 사울 왕이 아말렉 왕을 쓰러트렸어.

미갈 아말렉 갈비뼈 사이로 모래바람이 불고, 그 땅에는 들개들만 살이 쪘단다. 모래폭풍 사막에서 아말렉 족속을 때려눕힌 자가 누구냐?

처녀들 사울 왕이지! 사울 왕이지! 사울 왕이 아말렉을 때려눕혔지.

메랍 (*아각 앞에서*) 목에 밧줄 매고 끌려온 이건 뭐지?

처녀들 이 개새끼는 뭐지?

미갈 난 알아. 사람들이 왕이라고 부르는 개지!

처녀들 모두들 왕이라고 불리는 개를 보시오!

메랍 이자가, 아각, 아각, 아말렉 족속의 아각 왕이시다! 사울 왕의 발뒤꿈치에 묶인 개새끼다.

미갈 (*아각에게 말하면서*) 네가 아말렉 족속의 왕이냐?

아각 그렇다.

미갈 난 우리 아버지가 아말렉에서 끌어다 놓은 들개인 줄 알았지.

메랍 아각, 당신은 왜 혼자 있는 거요? 애굽을 향해 사자처럼 달려들던 당신의 군사들은 다 어디 갔어요? 당신네 여인들이 울리는 꽹과리 소리를 듣고 싶은데. 오, 강력한 아말렉의 아각 왕이여!

처녀들 (*탬버린을 아각의 얼굴에 흔들면서 얼굴에 침을 뱉고 큰소리로 웃어대며*) 개새끼! 개새끼!

미갈 우리 조상이 애굽을 벗어나 스루의 광야를 지날 때 위대한 지도자 모세의 이스라엘을 뒤쫓던 자들은 누구였더라?

처녀들 아! 방황하는 우리 이스라엘 사람 등에 창을 던진 자는 누구였더라?

미갈 우리 조상이 애굽을 떠난 시절에 우리의 힘없는 아녀자들을 농락하고 죽인 자들은 누구였더라?

메랍 우리의 적들 가운데 아말렉처럼 저주받은 족속은 누구였지? 모세가 하나님의 지팡이를 손에 높이 들어 올렸을 때 여호수아는 해가 질 때까지 아말렉을 쓰러트렸어. 해가 진 후에도 하나님의 음성이 들렸지. "전쟁을 계속하라. 하늘 아래서 아말렉이 멸절될 때까지 계속 싸워라!"

미갈 개 같은 놈! 우리가 지나갈 때 숨어서 기다리고 있다가 덤벼드는 개새끼! 사울 왕은 어째서 저자의 눈과 귀를 잘라내어 보지도 못하고 듣지도 못하게 만들지 않고 그냥 두었는지 모르겠어!

사울 (*집에서 나오면서*) 아각이 처녀들과 함께 있구나!

미갈 아버지, 보세요. 이자가 왕인가요?

사울 그렇다.

미갈 자기 몸에 붙은 벼룩도 못 잡는 개새끼로군요.

사울 그래. 부유한 아말렉 왕이 이 꼴이 되었구나. 그런데 너희는 이자가 가져온 선물을 보았느냐?

미갈 사울 왕의 딸들을 위한 선물인가요, 아버지?

사울 물론이지. 메랍과 미갈을 위해서지. (*하인에게*) 이봐라, 너는 가서 왕의 딸들에게 줄 전리품을 가져오너라.

미갈 얘들아, 내 말 들어봐. 내 말을 들어보라고. 아각 왕이 길갈에서 아내를 구하려고 혼숫감을 가져왔다는구나! 오, 아버지, 난 저자가 싫은데요. 얼굴이 마치 개 떼한테 뜯긴 까마귀처럼 생겼어요.

메랍 저 아말렉 사람이 가져온 지참금은 죽음이란다.

미갈 저자를 죽일 건가요, 아버지? 우리 저자를 좀 더 놀려주자.

(*전리품이 담긴 광주리를 들고 하인이 들어온다. 요나단과 아브넬이 뒤따라 들어온다.*)

사울 아말렉 왕 아각이 우리 딸들에게 가져온 선물이다. 애굽의 직물, 파라오의 집에서 쓰던 두건들, 두로에서 만든 붉은 우아한 여인복도 있고 시돈에서 온 노란 여인복도 있다.

미갈 (*큰소리로 외치며*) 그건 내 거야. 노란 여인복은 내가 가질래요, 아버지. 다른 건 메랍 언니한테 주세요. 오-아각 왕, 고맙소. 아말렉 왕이여, 고맙소.

사울 솜씨 뛰어난 세공인이 만든 아름다운 팔찌와 발찌도 있고 금은 귀걸이도 있단다.

미갈 그것도 내가 가질게요! 다른 건 다 언니한테 주어도 돼요. 아, 아! 얘들아, 이걸 걸친 내 모양이 어떠니? 아각 왕, 고귀한 아각 왕이여, 내 모습을 보시오.

(*그녀가 노란 여인복을 몸에 두르고 춤을 추자 몸에 걸친 장신구들이 딸랑딸랑 소리를 낸다.*)

이 소리도 들어봐요. 고귀한 아각 왕, 주는 자의 왕이여! 사람들은 말합니다. 추하고 더러운 까마귀가 둥지에 금을 갖고 있다고 하네요. 어디 소리 내서 울어 봐요. 까아악 까아악. 위대한 사울 왕이 아말렉을 무너트렸다! 그의 딸 미갈이 아말렉으로 인해 기뻐서 딸랑딸랑 소리 내며 춤을 춘다! 아각 왕이여, 까아악 까아악 울어 보라고요!

요나단 조용히 좀 해! 안에 들어가서 너도 다른 여인들과 같이 실 잣는 일을 돕도록 해라. 남자들 틈에 여자들이 너무 오래 있구나.

미갈 오, 요나단 오빠, 오빠 말은 오빠는 남자다움으로 가득 차 있다는 말인가요?

요나단 전리품을 남자들 눈에 뜨이지 않게 하고 대낮에는 드러내지 마라. 아버지, 누가 와서 그러는데 갈멜에서 사무엘 선지가 아버지를 찾는다고 합니다.

사울 나를 찾으려면 길갈에서 찾아야지.

아브넬 사람들이 대문에서 왕을 찾고 있습니다.

(*아브넬은 대문으로 간다.*)

사울 (*여자들에게*) 너희들은 어서 안으로 들어가고 그 전리품을 숨겨 놓아라. 선지자 사무엘이 아말렉의 전리품이 너희들 손에 있는 줄 알면, 전부 찢어버리고 너희들의 젊음을 저주할 것이다.

(*메랍이 파란 숄을 어깨에 두르고 있다.*)

미갈 그런 일은 절대 없을 겁니다! 오, 메랍 언니, 파란 숄이 언니한테로 갔군! 언니, 어서 뜁시다. 너희들도 어서 뛰어라! 아각 왕, 안녕! 고맙소. 까아악 까아악! 이제 저자는 입도 벌리지 못하는군!

(*미갈이 뛰어가고 다른 처녀들도 모두 뒤따라 뛰어간다.*)

아브넬 사무엘이 방금 바위 옆을 지났어요. 길갈로 왕을 찾아오고 있어요.

사울 잘 되었다. 우리의 승리를 축하해 주려고 오는구나.

요나단 아버지, 사무엘이 보는 앞에 아각을 그대로 두실 건가요?

사울 아니지! 이봐라, 어서 아각을 헛간 안으로 데려다 놓고, 아각 이름을 입 밖에도 내서는 안 된다.

(*남자들이 아각을 데리고 헛간 쪽으로 들어간다.*)

요나단 아버지, 걱정됩니다. 사무엘이 길갈을 평강 가운데 찾아오는 게 아니지요.

사울 왕이 늙은 선지가 두려워서 아말렉 족속을 숨겼단 말이냐?

아브넬 사무엘은 가혹한 예언을 잘하는 질투심 많은 노인입니다. 여기서 그를 기다릴까요? 아니면 방에 들어가서 방석에 앉아 그를 만나시겠습니까? 아니면 대문에서 맞이하시렵니까?

사울 난 여기서 내 칼을 갈면서 기다리겠소.

(*아브넬과 요나단이 대문 쪽으로 간다.*)

아브넬 (*대문에서 큰소리로*) 사무엘 선지가 혼자서 들판을 가로질러 오고 있어요. 사무엘 노인은 외투를 입고, 두 명의 선지자들이 그 뒤를 따르고 있어요.

요나단 (*아브넬과 함께 대문에서*) 사무엘 선지가 맞아요. 화가 잔뜩 난 모습입니다.

아브넬 누구한테 저리 화가 났을까?

요나단 우리 아버지한테요. 아말렉 족속을 완전히 멸하지 않았고, 가장 좋은 전리품들을 없애지 않고 수중에 넣었기 때문이지요.

아브넬 그렇게 좋은 리넨 천을 불 속에 던지고, 살찌고 생생한 어린 소들을 마른 우물에 던져버리는 건 어리석은 짓이지.

요나단 그러나 그건 여호와의 명령을 어기는 것입니다.

아브넬 처녀들이 장신구를 즐기고 이름 모를 신의 제사 향을 즐기면 왜 안 된다는 말인가?

(*이들은 대문에서 물러난다. 사울은 그의 칼을 갈고 있다. 잠시 후 사무엘이 등장하고 선지자들이 그의 뒤를 따라 들어온다.*)

사울 (*칼을 내려놓으면서*) 주님의 축복이 임하시기를! 나는 주님의 명령을 이행했습니다.

사무엘 그런데 내 귀에 들리는 저 양 떼와 소 떼 울음소리는 무엇이뇨?

사울 아말렉 족속에서 가져온 것입니다. 하나님께 제물로 바치려고 가장 좋은 양들과 소들을 따로 선별하여 가져온 것이고, 나머지는 모두 진멸했습니다.

사무엘 들어보시오, 사울! 오늘 밤 여호와께서 나에게 들려주신 말씀을 왕께 전해 주겠소.

사울 말씀해 주시지요.

사무엘 왕이 스스로 알기 전에 전지전능하신 하나님이 그대를 이스라엘의 왕으로 세워, 그의 권능을 그대에게 부어 주지 않으셨던가? 그리고 하나님의 음성이 그대에게 전하기를, 가서 아말렉 족속을 철저히 파멸시켜서 한 사람도 살려두지 말라고 하시지 않았던가? 그런데 왕은 어째서 하나님의 명을 어기고, 해서는 안 될 전리품을 갈취하는 행동을 했소이까?

사울 나는 하나님의 음성에 복종하여 나를 보내신 곳으로 가서 아말렉 족속을 모조리 부숴버렸소이다. 그러나 이 백성이 마땅히 말살해야 하는 양과 소 떼였으나 가장 좋은 것들을 하나님께 드리는 제물로 삼기 위해서 길갈로 가져온 것뿐입니다.

사무엘 여호와께서 제사와 번제를 여호와의 말씀을 순종하는 것보다 더 즐거워하셨나요? 잘 들으시오. 순종이 제사보다 낫고 살찐 양고기보다 하나님의 말씀을 경청하는 게 낫습니다.

사울 생명을 주시고 생명의 양식을 주신 이가 하나님이 아니신가요? 우리 손에 주어진 고기와 빵을 거부해야 합니까?

사무엘 이보시오, 사울! 나의 주 하나님이 사울의 식료품을 저장해 두는 곳간이오? 하나님은 살찐 소고기와 좋은 의복에 심취하는 분이 아니십니다. 그분은 하늘나라에서 그의 격노를 철저히 이루실 것이오. 아말렉은 살아계신 하나님을 욕보이고 그분의 음성을 조롱하였소. 그러므로 살아계신 분노의 하나님은 그의 종 이스라엘의 손으로 아말렉을 완전히 쓸어버리기를 원하시는 것이오. 생명이 없는 우상들은 뉘우침이 없지만, 사울의 뉘우침은 어디서 올고?

사울　나는 백성을 두려워하여 그들의 소리에 복종했소이다.

사무엘　왕은 아주 용감하게 행동했구려. 위대한 주님을 두려워하지 않고 왕보다 더 작은 백성을 두려워했다니! 왕은 어둠 속에서 들려오는 하나님의 외침을 듣지 않고 백성들의 아우성 소리에 무릎을 꿇었단 말입니까? 왕께 내가 말하거니와 하나님에 대한 반란은 마술 죄를 짓는 것과 같소. 자기 고집은 사악한 우상숭배와 똑같소. 왕이 주님의 말씀을 거부했기 때문에 주님도 당신을 왕의 자리에 두기를 거부하셨소.

사울　왕은 백성의 소리를 들어야 하는 것 아닙니까?

사무엘　백성은 왕을 세워달라고 고집을 부렸소. 그런데 백성이 제 힘으로 왕을 만들어 낼 수 있었는가? 백성이 휘파람을 불어서 한 배에서 나온 강아지 새끼들 가운데 사자 한 마리를 불러낼 수 있겠느냐고요? 백성이 왕을 달라고 아우성을 쳐서 주님이 사울 당신을 백성의 왕으로 세워주셨던 것이오. 당신이 어떻게 왕이 되었소? 그게 백성들 소리 때문이었소?

사울　그대 사무엘 선지가 나를 택하셨습니다.

사무엘　내가 택한 것이 아니오. 주님의 손이 당신을 가리켰던 것이오. 하나님이 당신 앞으로 나를 인도하셨소. 세상 한가운데서 주님이 당신을 정한 것이었소. 권능의 힘이 당신 머리에 기름을 부어 당신이 왕이 된 것이오. 그런데 당신은 하나님을 순종치 않고 그의 음성에 귀를 막아 버렸소. 개 짖는 소리와 백성 우는 소리는 듣고, 우리의 주인이신 주님의 음성에는 귀를 닫아 버렸던 것이오. 하나님의 존재는 당신에게 아무것도 아닌 것이었소. 그러므로 주님도 당신을 아무것도 아닌 것으로 돌리고, 당신을 선택했던 주님은 이제 당신을 버렸소. 주님의 권능을 잃은 당신은 이제 평민이 되어, 당신의 옛 모습 그대로, 왕이 아닌 존재로 돌아갑니다.

사울 내가 죄를 범했습니다. 지난밤 암흑 속에서 선지자에게 들려주신 하나님의 그 명령을 내가 지키지 않았습니다. 백성을 두려워하여 백성에게 순종했기 때문이오. 이제 그대에게 간구하오니 내 죄를 용서하고 내게 돌아와 주십시오. 그래서 주님을 다시 경배할 수 있게 나를 도와주십시오.

사무엘 난 왕에게 돌아오지 않을 것이오. 왕은 하나님의 말씀을 거역했고 하나님은 그의 말씀에 순종치 않은 당신을 버리고 이스라엘 왕의 자리에서 물리치셨소.

(*사무엘은 돌아선다. 사울이 사무엘의 옷자락에 매달려 잡아당기자 옷이 찢어진다.*)

사무엘 하나님은 오늘 이스라엘 왕국을 당신 손에서 취하여 당신보다 더 나은 자에게 옮기셨소. 이스라엘을 움직이시는 권능자 하나님은 거짓말하지 않고 당신을 아쉬워하지 않소이다. 당신은 하나님이 후회할 만한 인물이 못 되기 때문이오.

사울 내가 죄를 지었소. 내가 큰 죄를 범했소. 내가 잠깐 실수하여 얼굴을 잘못 돌렸던 탓이오. 그렇지만 아직은 나를 지켜 주십시오. 간구합니다. 내 백성의 장로들 앞에서 이스라엘 앞에서 당신의 하나님인 주님께 내가 경배하게 하여 주십시오.

사무엘 (*사울을 향하여 돌아서면서*) 왕이 은밀한 태양을 등지니 왕의 얼굴에서 광채가 사라졌소. 당신을 왕으로 만든 권능자를 버렸으니, 왕의 몸에서 빛이 꺼지고 이마에 빛나던 기름이 사라지고, 왕의 가슴에서 지혜로운 통찰력이 시들시들 죽어가고 있소. 그러할지라도 왕이 하나님의 기름 부음을 받은 자이니, 장로들 보는 앞에서 당신에게 축복을 내려주겠소. 오! 그렇지만 하나님은 이미 당신을 거부하는 결정을 내리셨는데 이 노인이 축복한들 무슨 소용이 있겠소!

사울 그래도 제게 축복을 내려주옵소서, 아버지시여!

사무엘 (*두 손을 들어 올리면서*) 하나님이 그대와 함께 하시기를! 그대에게 힘을 주시고, 주님의 권능과 힘이 그대의 눈을 밝히고 얼굴에 광채를 주시기 원하나이다. 주님의 생명이 그대의 몸과 사지에 기운을 돋아주시고 심장을 기쁘게 해주시고 창자와 허리에 힘을 불어넣어 주시기를 원하나이다! 주님께서 당신 무릎에 힘을 주시고 발을 빠르게 해주시기를 원하나이다!

사울 (*두 손을 하늘을 향해 들어 올리면서*) 오, 주님, 제가 범죄 하여 정신을 잃었나이다. 제가 파멸의 원인입니다. 그러하오나 불꽃이 타오르고 날개가 약동하는 하나님께로 다시 제가 돌아오리니, 제 기도를 들으시고 저를 원상태로 돌려주옵소서! 생명의 날개로 다시 저를 품어주시고 주님의 숨결을 제게 불어넣어 주셔서 제 안에 임재하여 주옵소서. 장엄한 주님의 날개 밖에 있는 제 존재는 빈 조개껍데기에 불과하오니, 제게 돌아오셔서 제 심장을 채워주시고 부디 저의 죄를 용서하여 주옵소서. 아말렉으로 인한 죄를 말끔히 씻어 주시고 제가 저지른 죄의 근원을 제거하여 주옵소서.

(*그는 팔을 내려놓고 사무엘을 향한다.*)

사무엘 선지여, 내 기도가 이만하면 되었나요?

사무엘 잘 되기를 빌겠소. 아말렉 왕 아각을 내 앞에 데려오시오.

사울 요나단, 가서 아말렉 왕을 이리 끌고 오너라. 오, 아브넬, 당신은 가서 목동들을 데려오도록 하시오. 우리는 아말렉에서 끌고 온 짐승들을 처치하고, 이로 인한 오염을 길갈에서 말끔히 씻어낼 것이오.

(*요나단과 아브넬은 퇴장한다.*)

사울 (*사무엘에게*) 사무엘 선지께서 오늘 나와 함께 하시어 왕국을 내게서 빼앗지 마시기를 간구하옵니다.

사무엘 하나님의 뜻을 누가 알겠소? 당신을 위해 밤이고 낮이고 내가 간구했지만— 그러나 하나님은 당신에게서 얼굴을 돌리셨소. 당신 때문에 밤이면 어린아이처럼 슬피 우는 이 늙은 이가 어찌할 수 있겠소!

(*아각이 조심스럽게 미소 지으며 우아한 태도로 들어온다.*)

아각 내 생명을 잃는 절망의 시간은 이제 지나간 것이겠지요?

사무엘 (*사울의 칼을 뽑아 들며*) 당신의 손이 여인들의 아이들을 죽인 것처럼, 당신의 어미도 아이 없는 여인이 되리라.

(*사무엘이 아각을 칼로 찌르니 아각이 뒷벽에 기대어 자빠진다. 요나단과 목동들이 들어온다.*)

요나단 아각은 전쟁터에서 죽는 편이 좋았을 것을!

사울 (*목동들에게*) 전리품으로 가져온 짐승들을 모조리 구덩이에 넣어라. 양 새끼 건 소 새끼 건, 한 마리도 남기지 말고, 어떤 전리품도 남기지 말고 몽땅 구덩이에 던져 넣어라.

목동들 왕의 분부대로 하겠습니다.

(*목동들은 퇴장한다.*)

사무엘 (*피로 물든 칼을 들고 오면서*) 난 그자를 하나님 앞에서 난도질하여 찍어내었소. 그의 피가 하나님의 코끝에 올라갔소.

사울 이제 청컨대 집안으로 드시지요. 발 씻을 물과 음식을 가져와서 그대의 마음을 위로하고 기쁘게 해드리고 싶습니다.

사무엘 그럴 여유가 없소. 난 라마로 가서 하나님 앞에 왕을 위해 간구해야 하오. 이제 떠나겠소.

▌둘째 장면

(*라마의 방. 한밤에 사무엘이 기도 중에 있다.*)

사무엘 오, 여호와여, 바람결을 타고 태양 위에서 나오시어 내게 말씀해 주소서. 바람이 서두르는 곳에서 내 기도를 들어주소서. 주님이 이끄는 바람의 힘이 내게서 떠나면 나는 아무 쓸모없는 노인이 됩니다. 깊고 깊은 곳에서 내게 숨결을 불어넣으셔서 늙은 이 몸이 꽃처럼 피어나게 하여 주소서. 내가 얼마나 더 살지 내 수명을 나는 알 수 없습니다. 나를 향해 팔을 뻗으시고 내 허리에 힘을 불어넣어 주옵소서. 나는 사울 때문에 가슴이 미어지고 마디마디 뼈가 쑤시고 아픕니다. 내 심정은 어미에게 버림받은 둥지의 햇병아리 같고, 내 심장은 의미 없는 허황한 외침으로 울립니다. 나를 움직이시는 주님은 몸을 낮추시어 내 말에 귀를 기울이지 않으시겠지요. 주님의 뜻에 따라 내 손으로 기름 부어준 아들 때문에 나의 창자는 슬픔으로 꼬여 있습니다. 땅에서는 사람과 짐승이 음식을 먹고 마시고 활동하지만, 이들은 그들이 어떻게 살고 있는지 모르고 살아 갑니다. 그러나 전지전능하신 주님께서는 이 땅 구석구석, 별과 달 사이로 출렁이는 바다처럼 움직이십니다. 주여, 내 육체는 빵을 먹고 살아가지만 내 영은 기가 죽어 있습니다. 하나님의 권능 외에는 나의 쇠약한 뼈를 회복시켜 줄 힘이 어디에도 없나이다. 흐르는 강물처럼 하나님은 두루두루 세상을 다니시지만, 나는 하나님의 홍수 속에 버둥대고 헤엄치는 물고기와 같습니다. 하나님이시여, 입이 없어도 말하는 물결처럼 나에게 대답해 주옵소서. 무화과 열매가 익으면 터지듯 사울은 쓰러졌어요. 주님의 권능의 홍수 속에서 움직이는 사울, 기름 부음 받은 사울, 그는 스스로 마음대로 할 수 있는 자가 아니었지요. 그런데 그가 이제는 물 밖으로 밀려 올라온 물고기가 되었습니다. 뜨거운 자갈 위에 몸을 때리고 살려고 펄떡펄떡 버둥댑니다. 주님의 품을 벗어나 주님을 떠난 그를 제 눈으로 보았습니다. 사울은 자신이 저지른 죄악의 냄비 속에서 죽겠지요. 주여, 대양을 움직이시는 주여, 주의 뜻 안에서 그가 제 구실을 할 수 있도록 그의 불완전함을 주님의 은총으로 회복시켜 주실 수는 없는지요? 주의 긴 물결의 팔을 뻗어 주의 손으로 그를 살아계신 주님의 가슴에 다시 품어주실 수는 없는지요? 요동치는 물살 속에 그가 영원히, 영원히 길을 잃은 것입니까? 의지하는 하나님 없이 물에 빠져 허우적대는 그를 내버려 두실 겁니까? 주여, 하나님의 기름 부음 받은 그를 위해 한 번만 손을 내밀지 않으시렵니까? 이 노인의 비통한 눈물이 가슴을 적시고 온몸을 후벼 팝니다. 내가 기름 부어 준 아들이 하나님 밖으로 기어 도망가서 허영의 바위에 올라앉았으니, 어찌 썩은 냄새가 코를 찌르지 않겠나이까! 주여, 사울이 진정 하나님의 손을 떠나, 본령을 벗어나서 영원토록 허영심으로 기어 다니는 자가 되는 것입니까?

아, 나는 늙었다. 사울 때문에 흘리는 내 눈물은 가슴속에 흘러들어 한밤에 철썩거리는 물소리처럼 들리는구나. 내 심장을 죽이는구나. 사울은 나를 져버렸으니, 하나님의 권능이 그를 떠났다는 음성이 내게 들린다. 그렇다. 이제는 내가 사울을 존중할 이유가 없지! 사울이 나를 버리고 썩은 바닷게처럼 냄새를 풍기니, 사울에 대한 나의 애정도 사울처럼 썩은 냄새를 풍기는구나. 나는 몸을 정결하게 씻어야 한다. 사울 때문에 더럽혀진 나를 씻고 하나님께 가야 한다.

주여, 내게 말씀하소서. 내가 순종하겠나이다. 내게 말씀하시는 대로 따르겠나이다. 내 육신은 돌처럼 바다 밑으로 가라앉아, 나를 나라고 부를 수 있는 것이 내게는 아무것도 없나이다. 내 몸은 쇠잔하여 하나님 앞에 녹아내립니다. 하나님의 신탁이 깊은 곳에서 솟아나는 분수처럼 나를 흔듭니다. 오! 난 내가 아닙니다. 홍수가 나를 덮는 최초의 물소리가 내 마음에 울립니다. 네 알겠습니다, 주님! 이스라엘을 위해 다른 왕을 찾겠습니다. 내 심장의 속삭임으로 그가 누구인지 알게 되겠지요. 하나님의 몸에서 흐르는 기름을 뿔 통에 다시 채워 유다 땅으로 들어가겠습니다. 그곳에서 하나님의 권능이 잠자고 있는 한 사람을 찾아내겠습니다. 그의 머리에 하나님의 권능으로 기름을 부어 그를 언제까지나 기억에 남는 위치에 올려놓겠습니다. 네, 알겠습니다. 양 떼가 사는 바위들 사이의 유다 땅으로 들어가겠습니다. 그곳에서 하나님의 아침햇살을 받아 신성한 한 젊은 청년을 찾겠습니다. 하나님의 권능을 상실한 사울 대신에 그 청년이 왕이 될 것이지요. 나는 아침에 다시 기력을 회복하고 조용히 떠나겠습니다. 내가 이 말을 하면 사울은 분노하여 나를 단창으로 단번에 찔러 죽이려 할 것입니다. 네, 주님, 그에게 이르지 않고 단지 제사 올릴 때가 가까워졌으니 내가 유다 땅으로 간다는 말만 하겠습니다. 그렇게 해서 난 영원히 사울을 떠나 그의 얼굴을 다시는 보지 않을 것입니다. 그가 나를 죽여서 스스로 죄악에 빠지지 않도록 나는 그의 얼굴을 영원히 피할 것입니다.

아침이면 내가 분명히 이곳을 떠난다 생각하니 마음이 슬프구나. 나는 주님의 것이요, 주님의 종임으로 순종하고 민첩하게 기꺼이 떠나야 한다. 그러할지라도 슬프기 짝이 없구나. 사울을 사랑하고 그를 자랑스러워했어야 했는데, 아－난 이제 너무, 너무 늙어버렸어.

셋째 장면

(*베들레헴의 마을 광장. 지붕 위에서 노인이 횃불을 흔들며 큰소리로 외친다.*)

장로 1　　(*지붕 위에서 큰소리로*) 어서들 오세요! 어서들 오세요! 모두들 광장으로 모이세요!

장로 2　　(*광장에 서서*) 무슨 일이오?

장로 3　　넷째 언덕의 파수꾼이 선지자들이 우리 마을로 오고 있는 것을 보았대요. 그중에는 사무엘 선지도 있답니다.

장로 2　　이게 무슨 징조인고?

이새　　우리가 무슨 죄를 범했기에 사무엘 선지께서 이곳에 온단 말입니까? 그가 우리를 저주하면 우린 모두 죽은 목숨이나 다름없소.

장로 4　　무섭구려. 그 소리를 들으니 태양빛도 어두워 보이네요.

장로 3　　어디 기다려 봅시다. 사무엘 선지가 우리 도성에 평강을 갖고 올지도 모르잖습니까?

엘리압　　사자나 곰도 무서워하지 않고 블레셋 사람도 두려워하지 않는 우리가 어째서 저 선지자들의 분노 앞에는 벌벌 떨어야 합니까?

장로 2　　젊은이, 입조심하시오. 우리 머리 위에 하나님이 계시고 그분은 맑은 하늘에 벼락을 내릴 수 있는 분이오. 선지자들 외에 보통 사람은 하나님의 비밀을 모르오. 그분의 뜻을 모릅니다. 그러니, 하나님의 생각을 모르는 우리는 잠잠히 입을 다물고 있어야 하는 것이오.

이새　　아들아, 진정 우리는 여호와 하나님의 생각을 모르지만, 하나님의 말씀은 귀한 것이다. 사무엘 선지가 없으면 우린 귀머거리나 다름없고 장님이나 다름없어. 그분이 아니면 우리 얼굴은 벽에 부닥치고 우리의 발걸음은 구덩이에 빠지고, 우리를 향한 사자의 울음소리도 듣지 못하게 된다.

엘리압　　그렇지 않아요, 아버지. 선지자 없이도 난 양 떼를 향해 으르렁대는 사자를 볼 수 있고 하나님의 충고 없이도 사자를 죽일 수 있어요. 우리가 에봇 입은 사제들의 큰소리에 신경 쓸 필요가 있나요? 한 명이든 여러 명이든 선지자 숫자가 무슨 상관이 있습니까?

이새　　아들아, 그런 말 하면 못 쓴다. 입을 꽉 다물고 잠잠히 있어라. 사람의 힘은 오래가지 못하고 등잔의 기름 같이 소모되는 것이야. 너는 아직 젊고 등잔도 깨지지 않았어. 그러나 나 같이 오래 산 노인들은 새롭게 육신의 힘을 보충해야만 살아갈 수 있다. 세상 한가운데서 움직이시는 하나님만이 우리에게 그 힘을 충전해 주실 수 있느니라.

엘리압　　그 힘을 사무엘 선지 없이는 받을 수 없다는 건가요?

이새　　작은 양 새끼도 들어갈 수 없는 통로가 있고 사자도 모르는 길이 있고, 독수리도 날 수 없는 길이 있단다. 선지자의 영혼은 진귀해서 하나님만이 아시는 숨겨 놓은 통로를 찾을 수 있지. 우리는 덤불 속에 숨어 있는 사자는 볼 수 있어도, 어둠

속 주님을 볼 수는 없다. 구름 속 그분의 소리를 우리는 들을 수 없지 않으냐. 그러나 그분의 말씀은 귀하고 그분의 말씀 없이는 우리 모두 소멸할 수밖에 없느니라.

엘리압 저는 사무엘 선지를 따를 수 없어요. 사무엘은 우리를 이끌고 전쟁터에 나가는 왕도 아니고, 우리와 함께 싸우고 전리품을 나누는 전우도 아니잖습니까?

이새 아들아, 날이 지나면 새날이 오고 날과 새날 사이를 밤이 지나간다. 그러나 사람이 세월 따라 황야의 당나귀처럼 이리저리 방황할 수는 없지 않으냐. 방황하는 우리 마음도 급기야 멈추고 어디로— 우리가 어디로 가야 하나 하고, 부르짖지 않느냐? 길 잃은 망아지가 어미 찾아 애처롭게 우는 것처럼 사람도 하나님을 찾아 울부짖고 하나님 없이는 마음의 안정을 얻지 못하느니라. 그럴 때 선지자가 특별한 통찰력과 능력으로 하나님의 계시를 받아 우리를 비밀통로로 인도하시는 거다. 그래서 하나님의 길로 향할 때 우리 앞에는 걱정 근심 없는 부드러운 탄탄대로가 열리는 것이야.

엘리압 저는 창과 방패를 들고 사울 왕을 따르겠어요.

이새 사무엘 선지는 왕보다 더 귀한 분이고 우리는 왕보다 사무엘 선지에게 더 순종해야 하느니라. 사무엘에게 하나님이 더 중요한 것만큼 왕에게도 사무엘의 존재는 하나님과 같은 존재야. 왕도 아버지의 명령을 기다리는 어린 소년과 같아서 무엇을 해야 할지 아버지의 가르침을 받기 전까지는 불안한 것이다. 그래서 사무엘 선지의 말씀을 사울 왕은 순종해야만

한다. 사무엘 선지의 입술은 바로 하나님의 입술이니까.

엘리압 아버지, 저는 사울 왕의 오른팔을 택하겠어요.

(*사무엘이 광장에 들어오고 그의 뒤를 격정적인 선지자들이 따라 들어온다. 장로들이 사무엘을 맞이한다.*)

장로 1 하나님이 함께 하시기를!

사무엘 하나님이 이 백성을 지켜주시기를 비노라!

장로 1 평강의 마음으로 오시는지요?

사무엘 평안 가운데 주님께 제사 올리러 왔소. 여러분 가족을 위해 주님 앞에 제사 올리고 여러분을 정화시켜서 새 옷을 입혀 주러 온 것이오.

장로 1 누구 집으로 가시렵니까?

사무엘 이새의 집으로 갈 것이오.

이새 (*앞으로 나오면서*) 제가 이새입니다.

사무엘 당신 가족 모두 몸을 청결히 씻으라 이르시오. 오늘 이새의 집에서 하나님께 어린 암소를 제물로 바치고 성대한 제사를 열 것인즉, 그리들 준비하시오.

넷째 장면

(*이새의 집. 작은 내정(內庭) 수수하고 간소한 제단에서 연기가 피어오르고 그 주변에는 피가 뿌려져 있다. 제단 앞에는 손이 피로 물들어 있는 사무엘이 앉아 있다. 다른 한쪽에는 활활 타는 화덕 위에 끓는 가마솥이 걸려 있고 쇠꼬챙이에는 고기가 구워지고 있다. 이새는 쇠꼬챙이를 빙글빙글 돌리고 있다. 시간은 해가 질 무렵의 저녁때이다.*)

사무엘 이새여, 아들들을 부르시오. 오늘 주님이 한 아들을 선택할 것이오. 큰아들부터 하나씩 하나씩 내 앞을 지나게 하시오. 우리가 제사음식을 먹기 전에 난 당신 아이들을 보아야 하오.

이새 아이들은 집안에서 기다리고 있어요. 첫 아이부터 불러오겠습니다.

(*아들 이름을 부른다.*)

엘리압, 이리 나오너라. 사무엘 선지께서 찾으신다.

엘리압 (*사무엘 앞으로 나오면서*) 주님께서 함께 하시기를!

사무엘 (*엘리압을 보면서 혼잣말로*) 참으로 잘생긴 청년일세. 오, 주님이 기름 부을 자를 확실하게 내 앞에 세워주시는구나!

(*키가 크고 출중하게 생긴 엘리압을 바라보고, 다시 혼잣말을 한다.*)

그러나 이 아이의 용모와 체구를 보지 않으련다. 이 아이가 아니라는 내 영혼의 소리가 귀에 들리는구나. 사람들은 외모를 취하지만 주님은 사람들이 보는 것과 달리 속마음을 보신다.

사무엘 (*이새에게*) 주님이 이 아들을 택하지 않으셨으니 다른 아들을 부르시오.

이새 아비나답! 얘야, 이리 오너라! 엘리압, 너는 가서 동생들을 불러오너라. 만찬이 곧 시작된다.

(*엘리압은 퇴장한다.*)

아비나답 (*앞으로 나오면서*) 주님이 함께 하시기를!

사무엘 (*아비나답을 바라보며*) 이 아이도 주님이 택하지 않으셨소.

이새 아비나답, 동생들이 집안에 다 있느냐?

아비나답 네, 모두 축하연을 기다리고 있습니다.

이새 (*큰소리로*) 삼마, 이리 오너라. 내가 부르면 한 사람씩 앞으로 나오너라.

사무엘 (*천천히 말하면서*) 이 아이도 하나님이 택하지 않으셨소.

이새 가라. 아니, 삼마, 넌 여기 머물러서 화덕에 고기 굽는 쇠꼬챙이를 돌려라.

삼마 네, 태우지 않도록 조심하겠습니다.

이새 (*부르면서*) 얘야, 넷째야, 앞으로 나오너라.

넷째 아들 주님이 함께하시기를!

사무엘 이 아이도 아니오.

이새 가서 기다리고 있어라.

넷째 아들 저는 무얼 할까요?

이새 (*다섯째를 부른다. 그리고 기다리고 있는 넷째 아들에게*) 너는 가든지 여기 있든지 맘대로 해라. 그런데 옆으로 좀 비켜서 있어라.

(*넷째는 옆으로 비켜선다.*)

다섯째 아들 주님이 함께하시기를!

이새 햇살 비치는 쪽으로 몸을 돌려서 네 얼굴을 사무엘 선지께 보여드려라.

사무엘 이 아이도 아니오.

이새 너도 사무엘 선지께서 찾는 아이가 아니구나. 옆으로 비켜서 있어라. (*서 있는 넷째 아들에게*) 거기, 얘야, 네 동생을 불러오너라.

(*여섯째 아들이 들어오고 그 뒤에 서 있는 다른 아들들은 모두 서서히 조금씩 안쪽으로 잠입한다. 엘리압이 들어온다.*)

여섯째 아들 저를 찾으셨나요, 아버지?

이새 사무엘 선지께서 너희들을 모두 보고 싶어 하신다.

사무엘 이 아이도 아니오.

이새 이제 됐다. 너희 중에 아직 사무엘 선지와 대면하지 못한 형제가 있느냐?

일곱째 아들 네, 여기요. 저도 보기를 원하시나요?

이새 그렇다. 하나님의 선지자가 볼 수 있게 밝은 쪽으로 오너라.

사무엘 이 아이도 아니군요.

이새 그렇다면 이제 제 아이들을 다 보셨습니다.

사무엘 아이들이 다 여기 있는 거요?

이새 네, 그렇습니다. 아, 참! 양을 돌보고 있는 막내 아이가 아직 들판에서 돌아오지 않았어요.

사무엘 가서 그 아이를 불러오라 하시오. 그 애가 여기 오기 전에는 우리는 식사를 하지 않을 것이오.

이새 삼마, 얘야, 네가 가서 다윗을 데려오너라. 애가 올 시간이 다 되었어.

(*이새와 삼마가 퇴장한다.*)

엘리압 선지자님, 왕이 아직 건재한데 주님이 또 다른 왕을 세워서 기름을 부어주실 건가요?

사무엘 아들아, 주님은 저 깊은 구름 속에서 번개를 치고 직접 움직이신다. 온 우주 한가운데 회오리바람 속에서 주님은 몸을 뻗어 그가 택한 자를 직접 만지시느니라. 누구의 머리에 기름을 부어주느냐 하는 선택은 예언자나 사제나 지도자에게 있는 것이 아니고, 이스라엘 왕에게 있는 것도 아니고, 그것은 우주를 운행하시는 하나님만이 하시는 일이다.

엘리압 네. 그렇지만 주님은 이미 한 사람을 왕으로 택하지 않으셨습니까? 다른 사람을 다시 선택해서 기름을 부으면, 주님은 먼저 기름 부은 자를 취소하는 건가요? 그 기름을 말끔히 닦아버리고 이미 내려준 은혜를 취소할 수 있느냐고요. 주님이 직접 세운 그 왕을 물릴 수 있는 것인지 그게 궁금해서요.

사무엘 그런 권능은 이전이나 이후나 우리에게 있는 게 아니다. 나도 백성들 앞에서 기름 부음을 받지 않았느냐? 권능을 내 것이라 하고 내가 명령할 수 있다고 말하면, 그것은 회오리바람의 힘을 훔치는 죄를 범하는 일이야. 그리되면 내게 주어진 힘을 잃게 되고 나는 지옥으로 추락하고 말지.

엘리압 주님의 기름 부음 받은 자의 역할은 어려운 것이군요.

사무엘 영혼이 뒤틀리고 불경한 자에게는 불가능한 임무지.

(*이새가 다윗을 데리고 들어온다. 삼마도 뒤따라 들어온다.*)

이새 제 막내아들 다윗입니다.

사무엘 (*혼잣말로*) 하나님이 지목하시는 아이가 바로 이 아이로구나. 이제 내가 이 소년에게 기름을 부으리라. (*큰소리로*) 주님이 이 아이를 선택하셨소. (*기름이 담긴 뿔 통을 다윗의 머리 위에 부으면서*) 하늘이 너를 영광으로 덮어주고 주님의 권능의 힘이 너에게 뻗치리라. 너는 백성들 가운데 일어나는 모든 일에 주인이 되리라. 대답해 보아라. 네 혼이 하늘에 닿아 하나님의 영이 너의 영을 움직이는 힘이 느껴지느냐?

다윗 네. 제 영혼이 확실히 하나님과 함께 뛰고 있음을 느낍니다.

사무엘 (*다윗의 머리 위에 기름을 부으면서*) 하나님께서 너를 택하시고 친히 너의 머리 위에 영광을 부어주시느니라. 너는 이제부터는 너의 것이 아니다. 선택받은 자는 선택한 자에게 속한다. 이제부터 너는 너를 움직이시는 하나님의 속삭임으로 집을 나오고 들어가고 할 것이야. 너의 힘과 열망은 하나님의 뜻에서 나온다. 네 가슴은 주님의 방패요, 너의 허리도, 너의 허리의 불길도 그분의 것이로다. 주님은 너의 눈을 통찰하시고 너의 입술을 주장하신다. 너는 하나님의 손을 잡고 하나님께서 네 몸의 굽이진 곡선마다 힘을 주어 꼿꼿하게 세워 주실 것이요, 너의 허벅지는 그의 기둥이니라. 그러므로 이제부터 네 몸은 너의 것이 아니고, 하나님이 네 위에 계시니, 너는 그의 것임을 명심하여라.

다윗 (*정중하게 절하면서*) 저는 당신의 종이옵니다.

사무엘 자, 이제 모두 둘러앉아 제사음식을 나누어 먹고 즐깁시다. 이 저녁에 이웃들을 모두 만찬에 초대하도록 하시오.

(*사람들이 나무 접시를 들고 큰 쟁반과 납작한 빵이 잔뜩 쌓여 있는 주변을 돈다. 그들은 화덕에서 고기를 취하고 부글부글 끓는 솥단지를 내려놓는다.*)

이새 다윗은 아직 어린 소년인데 하나님이 그를 택하셨군요. 그가 크면 어떻게 될까요? 오, 사무엘 선지여, 오늘 밤 우리에게 설명 좀 해주시지요.

사무엘 아무것도 내게 묻지 마시오. 왜냐하면 나는 아무것도 모르오. 하나님이 손을 다윗에게 뻗칠 때까지 그를 그대로 두시오. 때가 되면 우리도 알게 될 것이지만, 그전까지는 누구도 알 수가 없어요. 자 이제 화덕 위의 고기도 다 구워졌고, 음식이 준비되었으니 내 할 일은 끝난 것 같소. 하나님 앞에 살면서 복 많이 받기를 바라오. 오늘 이 시간에 있었던 일은 당신들 운명이 불행해지지 않도록 절대로 발설하면 아니 되오. 난 이제 내 길을 떠날 것이니, 나를 이곳에 유하라고 붙잡지 마시오. 대접하고 싶은 분들을 모두 초대하고 앞에 놓인 음식들을 마음껏 드시오. 오늘 밤은 여러분을 위한 시간이오.

이새 이미 해가 저물어 어두운데 꼭 가셔야 합니까?

(*사무엘은 퇴장한다.*)

엘리압 아버지, 사무엘 선지는 우리 가운데 가장 나이 어린 막내에게 기름을 붓고, 큰아들 장자 앞은 그냥 지나쳐 버렸어요.

이새 엘리압, 그건 주님의 뜻이다. 아비나답, 너는 어서 가서 마을 이웃들을 모두 초대하여라.

(*아비나답은 퇴장한다.*)

엘리압 아닙니다. 아버지, 그건 주님의 뜻이 아니고, 사무엘 선지의 뜻이지요. 사무엘은 강한 자를 시기해서 약한 자를 택한 것입니다.

이새 오늘 우리 집에서 일어난 일에 대해서 너는 입을 다물어라. 아무 말도 하면 안 된다. 하나님이 하늘 아래서 내 아들 다윗을 선택하셨는데 그의 맏형이란 자가 이를 질책하느냐? 어서 접시 쌓는 일을 돕고 뜨거우니 손이 데지 않도록 조심하여라.

엘리압 (*옆에 있는 다윗에게*) 너는 푸른 에봇을 입는 사제가 되려느냐?

다윗 난 몰라요. 내가 아는 건 오늘도 내일도 아버지의 양 지키는 일뿐이어요. 그 이상은 몰라요.

엘리압 네 눈에 구름 속에 계신 번개의 하나님이 보이느냐? 땅을 흔드는 그의 음성이 네 귀에 들리느냐?

다윗 형, 난 몰라요. 난 하나님이 나와 함께 하시기를 기도할 뿐이어요.

엘리압 하나님이 너한테 아버지보다도 더 가까이 계시냐?

다윗 아버지는 바로 내 앞에 계시니 얼굴을 볼 수 있지만, 주님은 나무 사이에 흔들리는 바람처럼 제 몸을 흔드십니다.

엘리압 이 애송아, 그럼 주님은 네 안에는 계시고 내 안에는 계시지 않다는 소리냐? 오직 네 몸에만 계신단 말이냐?

다윗 그건 난 몰라요. 내가 알 수 있는 건 내 심장이고, 형의 심장은 형이 알고 있겠지요. 나는 다만 주님이 나와 함께 하시기를 빌 뿐이어요.

엘리압 그래, 나도 내 심장은 내가 알지. 양치기 애송이 심장이 아니라 창을 들고 던질 줄 아는 남아의 심장을 말이다. 네가 내 활을 당길 수 있느냐? 네가 내 칼을 휠 수 있겠어?

다윗 아직은 내가 할 수 있는 때가 오지 않았어요.

이새 그만들 해라. 그만들 해. 이제 됐다. 초대한 손님들이 오신다! 오, 다윗, 내 아들아, 여자들은 이곳에 나타나지 않을지 모르니, 네가 여자들 몫을 가져다 주어라. 오늘 있었던 일은 이제 더 이상 생각하지 마라. 주님은 주님 시간표에 맞춰 움직이시니까, 네가 주님을 재촉할 수는 없지.

(*다윗은 열심히 음식을 챙긴다. 이웃들이 들어온다.*)

이새 (*이웃들을 향해서*) 자, 어서들 오십시오! 이리 오세요. 어서 앉아서 많이 드십시오. 주님 앞에서 사무엘이 잡은 제물을 오늘 밤 우리 모두 함께 즐깁시다.

(*다윗은 음식이 든 쟁반을 들고 퇴장한다.*)

이웃들 이새의 가정에 평강이 깃들기를 기원합니다! 사무엘 선지는 벌써 떠났나요? 이새여, 당신 댁에 좋은 일이 있으려나 봅니다. 축하합니다.

이새 살찌고 맛 좋은 일 년 된 송아지요. 어서들 맘껏 드십시오.

(모두들 김이 모락모락 나는 음식을 차려 놓은 대형 쟁반 주변에 둘러앉는다. 이새도 이들과 함께 음식을 먹는다.)

이웃 사람 1 아, 제사상이 근사합니다! 오늘 이곳 베들레헴에 오신 사무엘 선지께 은혜가 충만하시기를!

(다윗이 다시 들어와서 함께 앉아 음식을 먹는다. 모두들 거대한 쟁반 음식을 나르면서 말없이 먹는다.)

이웃 사람 2 진정 멋진 제사상이오! 이새여! 하나님이 이새의 집을 방문하셨군요!

다섯째 장면

(*길갈의 사울 집. 메랍과 미갈이 처녀들과 내정에서 실을 잣고 있다. 여자들이 소리 내어 웃으며 일을 한다.*)

처녀 1 질문 하나 할까?

메랍 뭔데?

처녀 1 왜 암소가 담 넘어 밖을 보고 기웃거리지?

미갈 그 얘기는 누구나 다 아는 얘기잖아.

처녀 1 알고 있으면 누가 답을 말해 보렴. 아는 사람 손들어봐.

(*미갈 혼자 손을 든다.*)

처녀 1 그래! 너희들 모르고 있구나! 왜 암소가 담 넘어 기웃거릴까?

처녀 2 담 밖에 뭐가 있나 보려고 그러겠지.

미갈 아니야, 틀렸어!

(*모두들 웃는다.*)

처녀 3 밖으로 나가고 싶어서겠지.

미갈 틀렸어. 쉬운 답인데 못 맞추는구나.

메랍 암소가 왜 담 밖을 내다볼까?

처녀 4 목이 가려워서 긁으려는 거지.

처녀 1 틀렸어! 틀렸어! 그만두자.

미갈 그러지 말고 다시 생각해봐. 왜 암소가 담 밖을 내다볼까?

처녀 2 다윗을 찾는 거지. 초장에 데려다 주기를 기다리는 거 아니겠어?

(*모두들 큰소리로 웃는다.*)

미갈 아니야, 그건 답이 아니야!

메랍 이제 그만하고 답을 아는 사람이 말해 봐.

처녀 2 (*거칠게 웃으면서*) 다윗이 목초지로 데려다 주기를 바라고 내다보는 거 아니야?

미갈 그게 답이 아니라니까!

처녀 1 왜 그게 답이 아니라는 거지? 내가 말해 줄게. 그건 정답이나 다름없어. 이새의 암소들은 담 너머로 오랫동안 내다보아야 할걸.

(*처녀들 웃음소리가 더 커진다.*)

음메에-! 음메에-! 다윗, 어서 와 줘요.

(*모두가 발작적으로 웃는다.*)

미갈 바보 같으니라고! 그게 정답이 아니란 말이다!

처녀 1 베들레헴에서는 그게 정답이야. 왜 베들레헴의 암소가 담 밖을 내다보겠어? 그건 다윗이 길갈로 왔기 때문이지.

(*처녀들은 더 큰소리로 웃는다.*)

미갈 틀렸어. 틀렸다니까!

처녀 3 베들레헴 암소라면 틀렸을 리가 없잖아.

미갈 그렇지만 이 소는 베들레헴 암소가 아니란 말이다.

(*더 크게들 웃는다.*)

처녀 4 사울의 암소들이 어째서 길갈의 담벼락 너머로 목을 빼느냐?

처녀 2 음악을 들으려고 그러지.

(*거친 웃음소리가 난다.*)

메랍 (*웃음소리 가운데*) 우리 아버지가 들으시면 좋겠구나!

미갈 정답을 맞히는 자가 아무도 없다니! 추측도 못 하다니! 상상력이 그리도 없는 거야?

처녀 3 뭐가 정답인지 그럼 말해 보시지? 암소가 찾는 게 뭔지 미갈만 그 답을 알고 있으니까!

(*처녀들 웃는다.*)

처녀들	대답해봐. 어서, 어서 말해봐, 미갈!
미갈	암소는 담 구멍을 통해서는 볼 수 없으니까. (*웃음소리*)
처녀 2	무슨 구멍을 통해서 볼 수 없다고? (*거친 웃음소리*)
처녀들	그래, 담 구멍을 통해서는 무얼 볼 수 없다는 거야?

(*모두들 웃는다.*)

처녀 3	무얼 통해서 못 본다는 거야? (*비명 같은 웃음소리*)
미갈	너희들은 아무것도 모르면서 엉뚱한 상상을 하는구나.

(*사울이 화가 나서 들어온다.*)

사울	조용히들 해! 이게 무슨 소동이냐! 계집애들이 미쳤느냐?
미갈	아버지, 우리는 수수께끼 놀이를 하고 있을 뿐이어요.
사울	시끄러워! 아침부터 소란 피우는 어리석은 딸들을 내가 그냥 보고만 있어야겠느냐? 너희들 수수께끼를 내가 혼구멍을 내고 풀어주마.

(*처녀들은 살그머니 달아난다.*)

메랍	우린 아버지가 병사들과 멀리 외지에 나가 계신 줄 알았어요.

사울 내가 집을 비운 줄 알았다고? 아버지가 외지에 있는 틈을 타서 계집애들이 방종한 짓을 하느냐? 내 딸들이 계집애들과 어울려 못된 소리를 떠벌려서 나를 괴롭히고 쓰러트리는 것이냐? 오! 내게서 태어난 자식들조차 저주받을 짓을 하는구나!

(*메랍은 살그머니 빠져나간다.*)

오, 누구보다도 내게서 태어난 것들이 먼저 저주를 받아야 한다!

미갈 아버지, 주님께 간구해서 우리가 아버지를 도울 수는 없나요? 사람들 말로는 지혜 있는 여자들은 암흑 깊은 곳의 영을 지배할 수 있다고 하던데요.

사울 네가 그럼 마녀냐? 네가 마녀 중 하나란 말이냐?

미갈 아닙니다. 그렇지만 아버지가 심한 고통 속에 계시니까 돕고 싶어서 그래요. 아버지 딸이 신비를 들여다보는 지혜로운 여자처럼 그런 지혜를 가질 수는 없을까요?

사울 (*신음하면서*) 너희가 마술에 씌었구나! 내 딸들이 나한테 덤비는 건 마귀의 소행이다!

미갈 그렇지 않아요, 아버지. 우린 진정 아버지를 도우려는 거예요. 결코 아버지에게 대항하는 게 아니어요.

사울 이 땅의 마술사들을 모조리 쓸어 버릴 것을 내가 맹세했다. 악령과 마술로 백성을 유혹하는 마법의 술사들을 내가 깡그리 죽이기로 맹세했어. 난 도성에서도 촌에서도 점쟁이들을 모두 죽였다.

미갈 　아버지, 나는 구름 속의 번개인 하나님을 볼 수 없나요? 지하에서 영을 불러내면 안 되나요? 아버지의 딸 미갈이 어떻게 마녀가 될 수 있겠어요?

사울 　너는 악의 종자야. 너를 찔러 죽이겠다.

미갈 　아버지, 왜 그러세요? 진정하세요, 아버지!

사울 　아버지에게 대항하는 너는 마녀의 혼에 붙들린 거다! 아, 내 심장이 분노로 터질 것 같구나. 하나님이 내 목소리에 귀 기울이지 않으시는 이유를 이제 알겠다. 네가 그 주범 마녀로구나.

(*단창으로 그녀를 치려 한다.*)

미갈 　(*흐느껴 울면서*) 난 마녀가 아니어요! 사람들이 아버지에 대해 말하고 있어요. 하나님이 아버지를 버렸다고요. 요나단 오빠가 블레셋에 대항하여 아버지를 도와드리는 것처럼 나도 주님의 힘에 의지해서 아버지를 돕고 싶어요.

사울 　(*공포에 젖어*) 주님이 블레셋족이란 말이냐! 절대 그럴 수 없지! 이제 알았다. 네가 마녀의 교활한 재주를 부려 이 땅의 권력을 잡으려는 게로구나. 너를 이 창으로 찔러서 우리 집을 깨끗이 씻어내고 주님의 불꽃이 내게 다시 돌아오도록 하겠다.

미갈 (*비명을 지르며*) 오, 아버지! 아버지!

사울 너를 찔러 죽일 것이야. 지하세계와 하늘 세계의 권력을 훔치는 교활한 마녀들을 모두 죽이기로 내가 맹세했어. 하나님의 선지자가 아각을 찔러 죽였을 때 주님이 좋아하신 것처럼 너를 찔러 죽이면 주님이 나를 좋게 보시겠지. 그리하면 사무엘은 내게 돌아온다. 주님이 날 버리시면 난 빈 껍데기에 불과해. 악령이 나의 빈자리를 뚫고 들어와서 나를 괴롭히고 있어. 지금 내 눈앞에 있는 너, 마녀, 너를 당장 죽여야겠다. 내 딸이라도 할 수 없어. 너 같은 마녀가 악령들이 들어오도록 내 영혼의 문을 열어주었기 때문이야.

미갈 아버지! 아버지! 난 마녀가 아니어요! 마녀가 아니라고요!

사울 너는 마녀야. 네가 모르는 중에 넌 나를 망치려고 마녀 짓을 했어. 너는 틀림없는 마녀다. 네가 자는 동안에도 네 영혼은 마술을 부리고 있어. 그래서 너를 죽여야 한다. 사울 왕의 심장 가장 가까운 곳을 파먹고 있는 마녀를 죽였노라고 내가 백성들에게 선언하겠다.

미갈 (*비명을 지르며*) 아버지, 살려주세요! 살려주세요!

(*요나단과 다윗이 뛰어 들어온다.*)

요나단 아버지!

다윗 오, 왕이시여!

사울 이 애가 바로 나와 주님 사이를 가로막는 마녀다.

요나단 아버지! 미갈이 마녀라니요? 아닙니다!

사울 저 아이가 마귀 들렸어.

요나단 미갈은 어려요. 어린 미갈이 마술을 어떻게 알겠어요?

사울 여자들이 악의적인 의도로 나와 주님 사이를 갈라놓는 놀이를 하고 있다고 내 영혼이 내게 일러주었다. 그 악령의 괴수가 바로 저 계집애다. 하나님 앞에서 이 땅을 정화시키려면 다른 마녀들을 죽인 것처럼 저 애도 마땅히 죽여야 한다.

다윗 오, 왕이시여, 그렇지만 왕의 종인 제가 듣기로는 마녀가 되려면 말없이 조용한 가운데 몇 년 동안 수행을 해야 하는 어려운 일이라고 들었습니다. 왕의 따님인 미갈은 말도 잘하고 조용한 사람도 아니라고 생각합니다. 그런 은밀하고 비밀스러운 긴 수행에 시간을 허비할 아가씨로 보이지 않습니다.

요나단 다윗의 말이 맞습니다. 미갈은 마녀가 될 만큼 침착한 성격이 못 됩니다.

사울 그렇지만 저 아이의 영혼은 지금 아비의 영혼과 싸우고 있다.

미갈 (*여전히 흐느껴 울면서*) 아니어요! 아니어요! 난 아버지를 돕고 싶을 뿐이어요!

다윗 만약 악령이 사울 왕과 여호와 사이를 가로막으려 한다면, 그건 어린 소녀의 일시적 기분으로 될 일이 아니지요. 왕의 영혼을 훼방하는 영들은 어린 사람이나 보통의 여자들이 할 수 있는 영역이 아닙니다.

사울 그럴지도 모르지. 그렇지만 난 지금 씨름하고 있어. 하나님의 은밀한 영이 내게 오지 않고 있다. 그 때문에 피를 흘리는 내 심령의 상처는 전쟁터에서 입은 상처보다 훨씬 더 크다. 난 내가 과거의 나 같지 않고 나 자신이 이상하게 느껴지는구나.

다윗 그러나 사울 왕은 존귀하신 전쟁의 뛰어난 장수이십니다. 왕의 위업은 흔들리는 바람처럼 누구에게나 크게 들립니다. 왕께서는 어째서 하나님과 씨름을 하셔야 합니까? 사울 왕은 행동으로 말하고, 행동할 때는 하나님의 영이 왕과 함께 하시고, 모든 백성의 눈앞에 드러나는 위엄 있는 왕이 아니십니까?

사울 맞는 말이다. 그런데도 조롱받는 여자의 영혼처럼 내 영혼의 고통이 멈추지 않는다. 주님은 나에게 다가오지 않고 내게 권능과 평안을 허락지 않으신다.

다윗 이스라엘 땅에서 사울 왕만큼 강한 자가 또 있습니까?

사울 그런 사울이 술주정뱅이처럼 맥이 빠져서 절망에 절어 있구나.

다윗 그렇지 않습니다. 오 왕이시여! 그런 건 환상에 지나지 않습니다. 모든 이스라엘 백성의 눈에는 승리에 빛나는 왕의 찬란한 빛이 보일 뿐입니다.

사울 그럼 내가 스스로 속고 있단 말이냐?

다윗 왕께서는 분명히 속고 계십니다.

요나단 아버지, 아버지는 분명 착각하고 계신 겁니다.

사울 그럴 수도 있느냐? 만약 내가 착각하고 있다면 어째서 사무엘이 나를 다시는 찾아오지 않고 나를 축복해 주지 않는 것이냐? 그리고 왜 내가 이런 고통 속에 지내야 하느냐? 내 안에 주님의 은총이 가득 차 있으면, 내 마음은 평안과 만족감으로 충만해야 하지 않겠느냐? 그런데 왜 내 속이 이리 허전하고 텅 비어 있느냐 말이다. 난 하나님 가까이 갈 수가 없구나.

미갈 한 말씀 드려도 될까요, 아버지?

사울 오냐, 말해봐라.

미갈 아버지는 왜 평소처럼 웃지를 않으시나요? 운동 삼아 목표를 겨냥해서 던지는 창을 왜 꼭 화난 얼굴로 잡아야 하십니까? 사울 왕은 남자들 가운데 빼어난 분이고 아버지가 여자들을 향해 미소 지으면 여자들은 기뻐서 눈물을 흘려요. 그런데 지금은 항상 찡그린 얼굴을 하고 계시잖아요.

사울 내가 마녀인 너에게 왜 미소를 지어야 하느냐?

미갈 아버지의 미소를 보면 내가 즐거우니까요. 그리고 난 마녀가 아니어요.

사울 네가 언제 즐거움이 필요한지 말해봐라.

미갈 지금이오. 아버지, 바로 지금 이 자리에서요!

사울 네 슬픔이 크긴 크구나.

(*사울은 그의 손가락으로 미갈의 뺨을 만진다.*)

미갈 네, 그래요! 아버지는 여기 이 낯선 청년이 – 아직은 어려 보이지만 ― 내가 꾸지람 듣고 왕 앞에서 망신당하고 눈물 흘리는 모습을 보게 하셨어요.

사울 그래서 그게 어쨌다는 거냐?

미갈 베들레헴의 양 우리에서 온 청년이 누구이기에, 길갈 왕의 딸을 가볍게 생각하는 거지요?

다윗 무슨 그런 말씀을 하십니까? 사울 왕의 딸 미갈을 가볍게 생각할 남자가 어디 있겠습니까? 아가씨의 눈은 한밤 나무 사이로 반짝이는 별과 같습니다.

미갈 왜 하필 나무 사이지요?

사울 (*갑자기 큰소리로 웃으면서*) 너는 아무 생각 없이 지저귀는 새 같구나! 어서 들어가라. 메추라기 같은 계집아이! 너의 친구들한테로 어서 가거라. 그만하면 남자들 앞에서 실컷 지저댔다.

미갈 내가 달려가면 내 생각도 나를 따라 함께 달릴 것입니다.

사울 무슨 생각을 말하는 거냐? 골치 아픈 새대가리!

미갈 얼굴 빨간 시골뜨기 목동이 내 눈물과 내가 당하는 치욕을 지켜보았어요.

다윗 미갈의 눈물은 분명코 외로운 한밤의 별똥별이었습니다.

미갈 어째서 또 한밤이라고 하는 것이오?

사울 (*큰소리로 웃으며*) 어서 들어가라! 그만 떠들고 어서 가라니까!

(*미갈은 퇴장한다.*)

저 애는 왕의 둥지에 있는 병아리야! 다윗, 자네는 저 애 지저귀는 소리에 신경 쓸 것 없어.

다윗 그렇지만 미갈 생각을 하면 즐겁습니다.

사울 자네를 그렇게 놀리는데도?

다윗 아주 유쾌한 아가씨입니다.

사울 젊은 청년들은 자기를 조롱하는 여자한테서 도망가지 않는가?

다윗 그래도 미갈의 달콤한 목소리는 듣는 자로 하여금 도망가게 하지 않습니다.

사울 미갈의 목소리가 달콤하다고? 내 귀에는 조롱조로 좋지 않게 들리는데.

다윗 그건 하프 악기 소리가 없을 때만 그렇게 들리시겠지요.

사울 그럴지도 모르지. 그래도 난 우리 집 여자들한테 저주받은 것 같은 생각이 든다. 다윗, 지혜로운 어린 자여, 요나단 어미가 내 가슴에는 가시였어.

다윗 그런 가시는 빼어 버리세요. 오 왕이시여, 괘념치 말고 잊어버리세요.

사울 가슴에서 골칫덩어리 여인을 떨쳐내는 게 쉬운 일인가?

다윗 저는 확실한 지식은 없지만, 그건 어렵지 않을 것으로 생각됩니다.

사울 어떻게?

다윗 남자는 내 영혼에 힘이 되는 사람이 누구인지 주님께 묻습니다. 여자가 내 안에 있는 주님의 불꽃에 기름을 붙이는지 아니면 물에 젖은 모래를 던지는지 그것으로 알 수 있지요. 주님이 만약 대답하시기를, 여자가 젖은 모래를 던진다고 하시면 그 남자는 자기 안에 있는 불길을 여자가 끄고 싶어 하는 것을 알게 됩니다. 그래서 더 이상 그 여자를 가까이하지 않지요.

사울 여자를 많이 거느리고 산 남자보다도 자네는 더 지혜롭군. 자네는 자신만만하고 확신에 차 있는 청년이로군.

다윗 제 형들은 저를 보고 뻔뻔스럽다고 합니다. 저는 그런 자가 되고 싶지 않은데, 제가 왜 그렇게 뻔뻔스럽게 보이는지 모르겠습니다! 왜 제가 그렇게 비치는 걸까요?

사울 (*크게 웃으면서*) 그거야 주님이 자네를 그렇게 만드신 거겠지.

다윗 저의 형이 제가 한 말 때문에 제 얼굴을 때린 적이 있는데, 그때도 저는 제 말에 무슨 상처 받을 일이 있었는지 모르겠거든요.

사울 (*크게 웃으면서*) 형이 자네가 말하는 입에 상처를 입혔느냐?

다윗 아니오. 저는 상처는 보지 못했지만 충분한 피해를 받았어요. 그렇지만 지금도 저는 그때 제가 한 말은 지혜로운 말이었다고 생각합니다.

사울 (*크게 웃으면서*) 지금도 그렇게 생각한단 말이지?

다윗 네. 제 뜻은 지혜로웠는데, 제가 말을 지혜롭게 하지 못한 것 같습니다.

사울 (*기분 좋게 웃으면서*) 하나님이 지혜를 주시고 그 지혜를 자네가 쓰도록 하셨구나! 자네는 늑대에게 먹을 것 한 토막을 떼어 주었는데 늑대는 자네의 내민 손마저 물어 간 셈이로군.

다윗 사울 왕의 가문을 통해 많은 것을 배울 수 있기를 바랍니다.

사울 늑대소굴에서?

다윗 아니지요. 사자는 늑대보다 고상하지요.

사울 사자는 자네의 미숙한 지혜 때문에 자네한테 원한을 품지는 않을 것이네 — 자네가 어떤 일을 할 수 있을지 아브넬과 의논해보겠다.

다윗 무슨 일이든 제가 왕을 도울 일이 있었으면 합니다.

사울 지금은 없어.

(*사울은 퇴장한다.*)

다윗 요나단, 사울 왕은 기분 좋게 자리를 뜨셨어.

요나단 좀 전까지만 해도 심기가 매우 불편하셨는데, 잘됐군.

다윗 지하의 악령이 왕을 지배하고 있어. 여자들 웃음소리가 왕에게는 마치 상처 입고 쓰러진 사냥꾼에게 들리는 하이에나 울음소리 같았을 거야.

요나단 그렇지. 미갈에게 악담을 하고 우릴 낳아준 어머니를 비난하시니 내 심장이 부글거렸어. 우리 아버지가 저렇게까지 행동하지는 않으셨거든. 왜 그렇게 변하셨을까?

다윗 주님을 잃으셨다고 하셨잖은가.

요나단　　그렇지만 주님을 잃는다는 게 어떻게 가능하지? 나도 주님을 잃은 것일까?

다윗　　아니지. 그대는 그럴 리가 없지.

요나단　　난 우리 아버지가 어떻게 하나님을 잃게 되었는지 그것이 알고 싶어— 다윗, 자네는 여명의 하나님이 함께하고 계시지. 자네 얼굴에 그렇게 쓰여 있어. 하나님과 자네도 씨름할 때가 있나?

다윗　　하나님과 씨름을 하다니— 내가 그만한 주제나 되나? 그러나 하나님의 영광을 내 몸에 느낄 때는 내 심장이 어린아이처럼 뛰는 걸 알 수 있어. 그때는 내 가슴이 따듯해지고 내 사지는 꽃봉오리 맺으려는 가지처럼 부풀어 오르는 걸 느낄 수 있어. 그렇지만 아직은 내가 그런 걸 자랑할 때가 아니라고 생각해.

요나단　　자네는 기꺼이 이곳 길갈에 와서 살려고 하는가?

다윗　　이곳에서 나는 낯선 나그네지. 아버지도 보고 싶고 양들이 뛰노는 베들레헴 언덕도 그립고. 그러나 내 영혼은 주님을 바라보고 스스로 위로받고 있어. 내 마음이 슬플 때는 내 가슴에 불꽃이 일고 얼굴에 흐르는 내 눈물을 주님이 닦아주시니까 마음속에 기쁨이 솟아오른다네.

요나단　　우리 아버지가 요즘 감정 기복이 심하시고 사람들을 거칠게 대하시지. 그러니 타향살이하는 자네는 더 서러울 거야. 고향이 그립겠지. 자네 눈물을 보면 내 마음도 슬프고 쓰리네.

다윗　　난 아직 강하지 못해. 그렇지만 밤하늘의 별들을 보고 어둠

속에서 별들 사이로 비치는 주님의 얼굴을 보면 내 마음은 고향에 있는 기분이 든다네. 그러니 베들레헴에 있으나 길갈에 있으나 내게는 마찬가지야.

요나단 난 야영할 때 혼자 누워서 별들을 보면 우리 어머니, 아버지, 미갈 생각이 나고 온 집안 가족들 얼굴이 눈에 어른거리거든. 그런데 자네는 어디에 있든지 주님이 계신 곳이 자네 마음의 고향이로군.

다윗 그런 생각은 미처 못 했는데 듣고 보니 그런 것 같네.

요나단 자네는 아무래도 누구를 그렇게 사랑할 것 같지 않아. 자네 가족일지라도 자네가 그렇게 무척 사랑할 것 같지 않다는 생각이 드는군.

다윗 그렇지는 않아. 난 우리 아버지를 끔찍이 사랑하고 나의 형들과 어머니를 무척 사랑하니까.

요나단 그렇지만 주님이 자네 영혼에 들어오시면 부모나 형제는 자리를 비켜주게 되지 않는가?

다윗 왜 그런 말을 하지? 내게는 모두 똑같이 중요해. 주님이 내 안에 계실 때는 다른 가족이나 가까운 친지들은 꽃봉오리 속에 가려져 있을 뿐이야.

요나단 아, 그렇구나! – 난 다정이 병인가 봐. 따듯한 마음으로 사랑할 때면 주님이 계신 것과 관계없이 내가 사랑하는 사람들이 늘 내 마음속에 자리하고 있으니까.

다윗 그건 나도 그래. 내가 사랑하는 사람들이 내 마음에서 떠난 적은 없어. 마치 모든 것이 주님이 주시는 희망의 불길 속에

한꺼번에 활활 불붙는 것 같거든.

요나단 난 때로는 주님이 내게서 내가 지닌 불꽃을 가져가 버리시는 것 같은 생각이 든다네. 난 아버지를 사랑하는데, 아버지는 분노에 휩싸여 단창을 내게 던지실 때가 있어. 아버지 말씀에 따르면, 불같이 번쩍이는 주님이 아버지한테서 떠났고, 아들인 내가 아버지를 위하여 의무를 다하지 않는다고 못 마땅히 여기시는 거야.

다윗 왕은 주님의 기름 부음 받은 자가 아니신가. 왕은 보통 사람은 알 수 없는 희열이 있겠지. 왕의 몸에 뻗친 주님의 임재로 인한 강력한 희열을 왕은 감지할 것이네. 그런데 그 주님이 나타나지 않으시면 주님의 부재로 인한 고통이 얼마나 크겠는가. 그 고통은 사랑하는 남자로부터 버림받은 여인의 고통과는 비교할 수 없을 만큼 훨씬 클 거야.

요나단 그래도 우리는 왕을 사랑하지. 백성들이 왕을 우러러보고 있어. 군대 장수 아브넬은 죽기까지 아버지께 충성하고 있지 않은가? 남자에게 이런 게 아무것도 아니란 말인가?

다윗 보통 남자에게 그건 굉장한 것이고, 더군다나 주님의 기름 부음 받은 자에게는 크나큰 은총임에 틀림이 없지. 그러나 주님으로부터 버림받은 왕에게는 사랑조차도 상처가 되거든.

요나단 우리 아버지는 사무엘 선지의 말처럼 왕의 위치에서 분명히 배척당하신 게 확실한가? 아각을 살려주고 아말렉의 양과 소 몇 마리를 건져 왔다는 이유 때문에? 단지 그 이유 때문에? 내가 그 위치에 있더라도 아무것도 없이 벌거벗은 거나 다름없는 아각에게 선뜻 칼을 뽑아 들지는 못했을 것 같단 말일세.

다윗 누가 알겠나? 백성이 왕을 선택하고 왕에 대한 백성들 뜻이 왕을 향한 하나님의 뜻과 같은 건지 아닌지 그건 나도 모르겠네. 그러나 백성들의 주님이 왕을 선택했을 때, 선택된 왕은 주님께 복종해야 하는 게 아니겠어?

요나단 그렇다면 백성들의 주님이 무방비 상태의 아각을 죽이라고 요구하셨단 말인가?

다윗 아말렉 족속은 하나님께 반기를 들었어. 세상에는 두 가지 충동이 있지. 인간 스스로를 위한 인간적 충동과 인간이 하나님의 손길로 움직임을 받고 싶어 하는 욕구가 있어. 이 두 개의 충동을 하나로 합치면 모든 일은 순조롭게 성사되지만, 인간의 뜻이 하나님의 뜻과 어긋날 때는 모든 일은 잘못되고 말아. 모든 게 잘못된 쪽은 아말렉이야. 따라서 아말렉 왕은 마땅히 죽게 되어 있어. 그건 그가 살아 숨 쉬고 계시는 하나님의 전적인 뜻을 가로막았기 때문이지.

요나단 나의 아버지는 그럼 어떤 경우지?

다윗 사울은 왕이고 하나님의 기름 부음을 받으신 분이지.

요나단 그렇지만 왕의 뜻은 인간의 뜻이고 왕은 하나님의 뜻에 복종할 수 없었던 거 아니겠어?

다윗 복종할 수 없었던 것으로 그렇게 보이네. 그렇지만 내가 알 수 있는 건 아무것도 없지 않은가.

요나단 난 아버지 때문에 너무나 괴로워. 자네는 왜 우리 아버지를 편하게 해드릴 수 없고, 나는 또 왜 나대로 편하게 해드리지 못하는 걸까?

다윗 그건 나도 몰라. 하나님만이 아시는 일이야.

요나단 그런데 왜 나는 그런 자네와 친구가 되지?

다윗 그것도 하나님이 하시는 일이야.

요나단 다윗, 그런데 자네는 이런 상황에서도 나를 가깝게 대하는가?

다윗 양 떼 지키는 목동이 감히 왕의 아들을 가까이할 수 있는 허락이 주어진다면, 요나단, 난 그대를 지켜주겠네. 내가 주제넘다고 나쁘게 생각하지는 말아줘.

요나단 다윗, 자네는 진정 나를 아끼는가?

다윗 하나님께 맹세코, 내 마음은 진정이야.

요나단 우리는 서로를 아끼는 좋은 친구 관계를 영원히 유지할 수 있을 것인가?

다윗 그대는 왕의 아들일세. 하나님이 우리를 지켜주시는 한, 우리 둘 사이는 잘될 거야. 난 그대의 종으로서 그대를 잘 받들어 모실 거니까.

요나단 아니지, 자네는 좋은 벗으로서 내 영혼을 사랑해 주기만 하면 되는 것이네.

다윗 그대의 영혼은 내 영혼에도 생명처럼 귀한 존재라네.

(*두 사람은 서로 말없이 포옹한다.*)

요나단 우리 아버지가 자네를 멀리 보낼지라도 나를 잊지 말게.

다윗 내 심장이 살아있는 한, 어찌 그대를 잊겠는가? 그러나 목동 다윗이야말로 왕의 아들이 쉽게 잊을 만한 그런 존재겠지.

요나단 아, 절대 그런 일은 없어! 아버지 때문에 슬픔이 가득한 내게 자네는 큰 위로가 되고말고! 난 자네야말로 나 대신 왕의 아들이 되고 내가 베들레헴의 목동이라면 좋겠어.

다윗 그런 실없는 소리는 말게. 그런 말 하는 그대의 분노가 나를 덮치면 난 무너지고 말 거야.

요나단 그런 일은 결코 있을 수 없지.

▌여섯째 장면

(길갈. 사울의 집 정원. 미갈이 탬버린을 들고 노래를 하거나 혼잣말을 한다.)

미갈 난 정말 슬프다. 너무너무 슬퍼. 슬플 수밖에 없지 않은가! 내 주변에서 일어나는 일들이 다 나를 슬프게 하고 있어. 남자들은 모두 전쟁터에 나가고 텅 비어 있는 이 집이 정말 싫다. 모두들 블레셋 족속과 싸우러 나간 지 벌써 여러 달이 지났어. 승리의 소식도 없고 전리품 갖고 나타나는 자도 없으니 춤출 일도 없고 – 아- 아! 정말 우울하다. 인생이 쓸모없어 보이는구나. 남자들이 이따금 집에 돌아올 때가 있지만, 다윗은 한 번도 오지 않았어. 한동안 다윗을 좋아하던 아버지가 아예 그를 멀리 전쟁터로 보내버렸나 봐. 남자들은 다 똑같아. 아버지 왕도 똑같아. 왕이 또다시 다윗을 싸움터로 몰아냈어. 난 알아. 언젠가 왕이 전쟁에서 죽지 않고 돌아오면, 나를 어느 늙은 족장한테 시집보내버리겠지. 아무튼 모두 전쟁터에 나가고 텅 빈 이곳이 정말이지 지루해 죽겠어. 사람들 말로는 이 전쟁은 주님이 하시는 거라는데, 그런데 주님은 왜 우리 집을 이렇게 쓸쓸하게 만들어야만 하실까? 난 정말 모르겠다. 주님이 나와 함께 계시는지 안 계시는지 낸들 어찌 알겠어. 그걸 내가 어떻게 알겠어? 그러나 저러나 내가 신경 쓸 일은 아니니까. 여자들은 남자들과 생각이 달

라. 주님이 함께하시든 않든, 난 내가 원하는 일을 할 거야. 아! 이새의 아들 다윗을 불러올 수 있는 확실한 요술이 있다면 얼마나 좋을까! 지금까지 내가 사용한 주술은 소용이 없었던 모양이야. 모래와 뼈다귀들을 갖고 다시 한번 시도해 봐야겠다.

(그녀는 약간의 모래와 세 개의 작은 하얀 뼈들을 탬버린 안에 넣고 주문을 외우고 탬버린을 부드럽게 흔들어서 땅에 떨어트린다. 그리고는 무릎을 꿇고 앉아서 이를 집중적으로 응시한다.)

뼈들아, 뼈들아, 모래 속 방법을 보여다오. 모래야, 모래야, 움직이지 말고 가만히 있어라. 모래야, 모래야, 가만히 말해다오. 그래, 저기 베들레헴에 있는 유다의 언덕이 보이는구나. 그런데 다윗은 보이지 않네. 모래 안에 하얀 뾰족한 뼈 옆으로 길갈로 가는 길은 보이는데, 다윗은 보이지를 않아. 이쪽에 없는 모양이야. 어디로 갔을까? 다윗이 어디로 간 거야? 틀림없이 여기 모래 속에 아버지가 계신 엘라에 있을 텐데. 그 반대편 세구에는 블레셋이 진 치고 있어. 그래 맞다. 두 개의 언덕이 있고 언덕 사이의 밑바닥에는 물이 흐르는 계곡이 보인다. 아, 한쪽 언덕에는 아버지와 우리 군대가 있고 반대쪽에는 블레셋 군대가 있네. 그렇지, 여기에 아버지 부하들이 있겠구나. 저기 보이는 게 아마도 아버지가 계신 검은 텐트일 거야. 그런데 요나단이 보이지 않잖아. 오, 요나단이 전사했으면 어떻게 하나! 요나단이 걱정된다. 하지만 모래 조각으로 내가 어떻게 요나단을 찾을 수 있겠어? 모래에는 아무것도 없는데. 난 지혜롭지도 못하고 그렇다고 내가 원한다고 해서 점쟁이가 될 수도 없잖아. 정말이지, 지루하기 짝이 없구나. 아- 여자란 지루한 존재인가 봐.

(*탬버린을 던져 버린다.*)

블레셋을 물리치지도 않으면서 왜 저러고들 가만히 있는 거지?

파수꾼 (*대문을 들어오면서*) 우리 진영에서 남자들이 돌아오고 있어요.

병사 (*대문 안으로 들어서면서*) 아가씨께 주님의 가호가 있기를 빕니다!

미갈 누가 돌아옵니까? 승리의 소식인가요?

병사 아닙니다, 아가씨! 요나단 님께서 무릎 부상으로 돌아오십니다. 휴식이 필요하셔요.

미갈 무릎을 다쳤다고요? 그 밖에는요?

병사 그 밖이라니요?

미갈 오, 멍청이! 다른 소식은 없느냐고요? 블레셋이 패했어요?

병사 아니요. 그자들은 멀쩡합니다.

미갈 그럼 무슨 일이 일어난 건가요?

병사 아무 일도 일어나지 않았습니다.

미갈 왕은 어디 계셔요?

병사 왕은 병사들과 함께 엘라의 막사에 계시고 모두 무사합니다.

미갈 그렇다면 블레셋족은 어디 있어요?

병사 우리 측 맞은편이오. 언덕 반대편 세구에 진 치고 있어요.

미갈 그럼 무슨 일이 있느냐고요? 이스라엘과 블레셋이 양쪽에서 서로 마주 보고 평화의 노래라도 부르고 있단 말입니까?

병사 아닙니다. 몇몇 병사들끼리 싸움은 계속되고 있습니다. 블레셋 장수가 매일 우리 쪽에 싸움을 걸어오고 있어요.

미갈 이스라엘 쪽에서는 어느 장수가 싸움에 나서나요?

병사 나서는 자가 없습니다.

미갈 없다니요! 과연 듣기 좋은 소식이로군! 이스라엘 쪽엔 장수가 한 명도 없단 말이오? 우리 아버지 사울 왕이 어디 아픕니까?

병사 우리 쪽에 병사들은 많이 있지만 대부분 보통 사람들이어요. 그런데 블레셋 장수는 몸집이 거대한, 대홍수 이전에 있던 종자여요. 어마어마한 거인으로 어찌나 목소리도 우렁찬지 그자가 외치면 이스라엘 텐트들이 흔들릴 정도입니다.

미갈 그자의 도전에 이스라엘 쪽 장수는 한 명도 맞서는 자가 없단 말인가요?

병사 네, 없어요. 그 거인과 상대할 만한 장수를 우리가 어디서 찾겠습니까?

미갈 그가 산처럼 클지언정, 나 같으면 바늘을 갖고라도 찌를 것이오.

병사 네, 그렇다면 아가씨가 가서 그의 눈을 찔러보시지요!

미갈 참 이상한 일이로군!

(*잡동사니를 들고 오는 병사들과 함께 요나단이 절룩이며 함께 들어온다.*)

미갈 아, 요나단 오빠, 무릎을 다쳤어요?

요나단 그렇다.

미갈 장딴지가 아니고 무릎을 다친 게 다행이군요.

요나단 조용히 해, 말괄량이 아가씨!

미갈 그 거인이 오빠 무릎에 상처를 입혔어요?

요나단 거인이 아니라, 블레셋 병사가 입힌 거다.

미길 블레셋이 거인 장수를 앞에 내세우고 자랑한다면서요?

요나단 그 말은 맞다.

미갈 들어본 적 없는 엄청나게 큰 거인이라는데요.

요나단 거대하다마다. 그자가 고래고래 내지르는 고함 소리를 우린 매일 듣고 있으니까.

미갈 그자가 매일 같이 뭐라고 소리치는데요?

요나단 자기와 상대할 자 한 명을 내보내라고 소리 지르고 있어. 가드의 블레셋족인 그자가 우리 편 장수를 죽이면 이스라엘 민족은 모두 자기네 하인이 될 것이고, 우리 쪽에서 그자를 죽이면 블레셋족이 모두 이스라엘의 하인이 될 것이라고 외쳐대고 있지. 몸집이 어찌나 거대한지 보통 남자는 그자 칼끝 가까이 닿을 수가 없어. 그놈을 공격하고 찌를 방법이 없단 말이다. 그래서 왕은 일대일 맞대결로 전쟁을 끝내기를 원치 않으셔.

미갈　이 거인에게 덤빌 장수가 우리 쪽엔 한 명도 없단 말이어요?

요나단　그건 아니지. 우리 쪽에 장수들이 왜 없겠냐. 장수들이 서로 나서려고 하지. 나도 기꺼이 나갈 마음이 있어. 그렇지만 그놈이 먼저 죽으면 무슨 걱정이 있겠냐만, 내가 먼저 죽게 될까 봐, 그게 걱정이지. 그리되면 온 이스라엘 백성이 블레셋의 노예로 전락하는 거니까. 그러다 보니 왕께서는 우리 쪽 장수가 나서는 걸 받아들이지 않으시는 거야. 그러나 두고 보렴. 우리는 매일매일 반격해서 마침내 블레셋을 물리칠 것이다. 우리가 승리한다.

미갈　그 마침내라는 게 대체 어느 세월이 될지....

요나단　너한테야 그게 무슨 상처나 고통이라도 되냐?

미갈　이스라엘이 도전을 받고도 응하지 못한다면, 그게 불명예고 상처지 뭐예요? 이스라엘에 장수가 없다니! 이스라엘 남자들이 이스라엘 여자들에게 이런 수치를 안겨주다니!

요나단　너 같으면 온 나라의 운명을 두 장수 사이의 일대일 대결에 맡기겠니? 그건 위험한 짓이야. 우린 모두가 장수들이고, 지금도 이스라엘 장수들은 열심히 싸우고 있어.

미갈　이 거인의 경우는 얘기가 다르잖아요.

요나단　일대일 대결에 나라의 운명을 걸란 말이냐? 그럴 수는 없지! 그러나 만일 그 거인 골리앗이란 자가 전투에 끼어 병사들과 뒤섞여 싸우면, 그때는 베냐민 지파 남자들이 모두 덤벼들어 그자를 해치울 수 있으니까.

미갈 그 거인이 집단 전투에는 가담하지 않겠다는 건가요?

요나단 가담하지 않지! 그자는 일대일 결투만 주장하면서 고래고래 소리 지르고, 무지무지 큰 방패를 덜걱 덜걱 흔들어 대고 있단다.

미갈 누군가는 방법을 찾아야겠군요.

요나단 네가 한번 찾아봐라. 난 좀 쉬었다가 다시 전투장에 나가야 한다.

▌일곱째 장면

(엘라의 이스라엘 진영. 뒤쪽에는 소모사(梳毛絲)로 짠 검은 막사들이 서 있다. 시간은 이른 아침. 병사들의 함성이 들리고, 남자들이 무기를 들고 전투장에 모여든다. 막대기를 한 손에 든 다윗이 들어온다.)

다윗 저기가 베들레헴의 엘리압 막사인가요?

병사 1 그렇소. 이새의 아들들이 있는 곳이오.

(막사에서 무장을 하고 나오던 삼마가 다윗을 보고는 소리 지른다.)

삼마 야, 우리 동생 다윗이 아니냐? 엘리압 형, 다윗이 왔어요!

(삼마는 다윗을 포옹한다.)

너도 싸우려고 온 거야?

엘리압 (*역시 무장한 모습으로 나오면서*) 다윗, 네가 이곳에 어쩐 일이냐? 양 떼를 버려두고 병사들이 진 치는 이곳에는 뭘 하러 온 거야?

(둘은 포옹한다.)

다윗 아버지 심부름으로 왔어요. 형들에게 식량을 전하고 베냐민 천부장 장수에게 치즈를 전하라고 하셨어요. 빵, 옥수수, 치즈는 취사 담당자에게 맡기고 왔어요. 그런데 아비나답 형은 어디 있어요?

엘리압 병사들과 함께 있어. 우리도 곧 전투 대열에 합류해야 해.

(*남자들은 느슨하게 서 있다. 아직 전투 배열을 맞추지 않은 상태이다. 아비나답이 와서 다윗과 포옹한다.*)

아비나답 다윗! 베들레헴에서 여기까지 온 거야? 아버지는 어떠시니? 집안은 다 괜찮니?

다윗 네, 모두 안녕하셔요. 아버지가 형님들에게 음식을 전해주고 어떤 상태인지 알아보라고 하셨어요. 증표도 갖고 오라고 하셨어요.

엘리압 증표는 전투가 끝난 뒤에 주마. 내 어린 아들은 어쩌고 있니?

수장 (*병사들을 부르는 소리*) 유다의 천 명 병사들이여, 백 명씩 조를 편성하고 각 조대로 대열을 갖추시오.

(*조를 편성하는 소란이 일고 그 소리가 요란하게 들린다.*)

다윗 (*형들의 뒤를 따라가면서*) 엘리압 형, 형의 아들이 사냥개한테 물렸는데 지금은 괜찮아요.

엘리압 무슨 사냥개를 말하느냐? 사람을 물었는데 그 개를 그냥 살려두었느냐?

사울 (*옆으로 지나가면서*) 베냐민 지파 오백 명은 계곡 아래로 내려가라!

병사들 예, 예! 오백 명이 진군합니다!

(*병사들 함성이 요란하다.*)

다윗 삼마 형, 전투를 어떻게 치를 건가요?

삼마 그거야, 바람 부는 대로 이쪽저쪽 형편 따라 움직이지!

다윗 형들이 전쟁터에서 오래 있으니 아버지 걱정이 이만저만이 아니셔요. 달이 지나도록 아무 소식이 없다고 아버지가 불안해하셔요.

엘리압 아버지한테 가서 여기는 양 지키는 양 우리가 아니라고 일러드려라.

병사들 (*큰소리로*) 어이! 어이! 오백 명 우리 측 병사들이 개울 근처에 있어요! 지금 블레셋 장수가 행렬에서 빠져나와 우리 쪽으로 걸어오고 있어요. 모두 조심하시오!

(*진영이 갑자기 조용해진다.*)

골리앗 (*우렁찬 목소리로*) 오호! 오호! 이봐라, 이스라엘 족속들아! 너희는 어째서 전투 행렬을 갖추고 있느냐? 내가 블레셋 사람이 아니고 너희는 사울의 종들이 아니냐? 너희 가운데 한 명을 선발해서 나와 일대일로 싸우게 하라.

다윗 (*조용히 말하면서*) 저건 누구여요?

사병들 어이! 어이! 저것 좀 보시오! 오백 명 우리 병사들이 돌아서서 도망치고 있잖아! 겁에 잔뜩 질렸어.

(*모두 조용해진다.*)

삼마 (*다윗에게*) 저자가 적장 골리앗이란다.

골리앗 목소리 하! 하! 야, 너희들 도망가는구나! 너희 중 한 명만 이리 오라니까. 나하고 싸워서 나를 죽이면 우린 모두 너희 종이 되어 너희를 섬길 것이다. 반대로 내가 너희 장수를 죽이면 너희가 모두 우리 종이 되어 우리를 섬겨야 한다. 내 말을 알아듣지 못하느냐? 나하고 싸울 상대를 하나 골라서 어서 이리 보내라!

다윗 (*조용히 말하면서*) 와, 정말 몸집이 어마하게 크네! 저자와 맞서 싸울 자가 우리 편에는 없나요?

병사 1 자네 눈으로 직접 보고 있지 않은가! 지금 40일째 저자가 저렇게 소리 지르면서 우리 이스라엘을 겁주고 있다니까. 골리앗을 죽이는 자에게 왕은 엄청 많은 재물을 하사한다고 하셨소. 왕의 딸을 아내로 줄 것이고 그의 집안은 모든 세금을 면제해 준다고 포고하셨소.

다윗 저자를 죽이고 이스라엘의 치욕을 제거해주는 자에게 왕이 무슨 상급을 주신다고요? 왕의 딸을 정말로 준다고 했어요? 길갈에 있는 딸 말인가요?

병사 1　　분명히 그렇게 선포하셨소. 엄청 많은 재산을 줄 것이고 그 집에 모든 세금을 면제해 준다고 약속하셨소.

다윗　　저 블레셋 놈이 살아계신 여호와의 군대를 욕보이다니! 여호와가 사시는 한 저 할례 받지 못한 자의 끝 날은 반드시 오고야 말 것입니다.

병사 1　　그럼 얼마나 좋겠는가! 그러나 그 일을 누가 할 수 있겠나!

다윗　　우리 주님이 힘이 없나요? 주님이 나와 함께 하시니 내가 나가서 싸우겠어요.

병사 1　　자네가? 자네가 어떻게 저 거대한 거인과 싸우겠다는 거야?

다윗　　난 싸울 수 있어요. 내 안에 주님이 계시는 한 저놈이 여섯 배나 더 크다 해도 내가 해치울 것입니다.

병사 2　　자네가 나서겠다고? 자네가 어떻게 할 수 있다는 거요?

다윗　　주님이 보여주실 겁니다. 나, 이 다윗이 골리앗을 죽일 겁니다.

엘리압　　(*앞으로 나오면서*) 다윗, 너 여기서 뭐 하고 있니? 들판에 있는 양 떼들을 버려두고 지금까지 여기서 뭐 하고 있는 거야? 너의 자만심, 너의 교만을 내가 알지. 넌 전쟁이 어찌 되고 있는지 구경삼아 여기까지 온 거다.

다윗　　엘리압 형, 내가 무얼 어쨌다고 그러세요? 아버지 심부름으로 왔을 뿐이어요.

엘리압　　(*화가 나서 돌아보며*) 너의 그 잘난 허영심이 아버지를 설득했겠지.

(*엘리압은 자리를 뜬다.*)

병사 1 자네가 저 거인을 죽이고 싶다는 생각을 왕께 전해줄까?

다윗 그렇게 전해주세요. 주님이 저와 함께하십니다.

(*병사는 왕이 있는 곳으로 간다.*)

병사 2 참으로 자네의 마음속에 저 무시무시한 거인을 죽일 수 있는 확신이 있단 말이오?

다윗 네, 있습니다. 으르렁거리는 저 블레셋 거인을 죽이는 자에게 왕의 딸을 주겠다는 왕의 선포는 사실입니까?

병사 2 그건 사실이지. 왕이 직접 그렇게 공표하셨으니까. 그런데 자네가 어떻게 저자 가까이 갈 수 있다는 건가? 어떻게 죽일 수 있다는 건지 말해보시오.

다윗 그건 주님이 가르쳐 주실 겁니다.

병사들 사울 왕이 이쪽으로 오신다!

사울 (*다가오면서*) 저 블레셋 거인을 쓰러트리겠다고 나서는 우리 쪽 군사는 누군가?

다윗 접니다. 왕의 종인 제가 나가서 싸우겠습니다.

사울 자네가? 자네가 어떻게 저 거인과 싸울 수 있겠나? 자네는 아직 어린 청년이고 저 거인으로 말하면 소년 시절부터 전쟁에 숙달된 병사란 말일세.

다윗 왕의 이 종은 양 떼를 지키기 위해서 맨주먹으로 사자와 곰을 죽인 적도 있습니다. 살아계신 여호와의 군대를 조롱하는 무례한 무할례 자식을 제 손으로 사자나 곰처럼 죽이겠습니다.

사울 그렇지만 사자나 곰은 사람 키만큼 큰 칼과 방패를 들고 덤비지는 않았을 것 아닌가? 투구와 갑옷으로 무장한 거인을 자네가 어떻게 맞서서 물리친다는 거지?

다윗 사자와 곰의 발톱에서 저를 구해내신 여호와께서 블레셋 사람의 손에서도 저를 구해주실 줄로 믿습니다.

사울 그런 확신이 있나?

다윗 네, 있습니다, 왕이시여.

사울 그렇다면 저자와 한 번 붙어 보게나. 여호와께서 자네와 함께하시기를 기도하네. (*왕의 뒤에 서 있는 시종에게*) 너는 나의 갑옷과 칼을 이 청년에게 입히고 무장시키도록 하라.

(*시종은 퇴장한다.*)

다윗 왕의 종인 제가 무장하고 나가야 합니까?

사울 그렇지 않으면 자네의 생명을 어찌 보존하려는가?

골리앗 목소리 호호 – 사울의 부하들아, 적군의 장수가 싸우자고 부르는데 이에 응하는 자가 하나도 없느냐? 사울 부하들은 머리 매만지는 계집애들만 모였느냐? 적을 죽인 사울은 어디 있느냐? 메추라기 새끼들처럼 너의 여호와 신만 바라보며 질질 짜고 울고 있느냐? 바알 신을 부르고 아스다롯 신을 불러라. 너희 이스라엘 신 여호와는 새장 속에 든 비둘기다.

다윗 오! 주 하나님이시여! 저자를 오늘 내 손에 붙여주옵소서!

(*왕의 시종이 들어온다.*)

사울 청년에게 전투복을 입히고 철모를 씌워줘라.

(*왕의 시종과 병사가 다윗이 갑옷 입는 것을 도와주고 철모를 씌워준다.*)

다윗 저는 이 갑옷이 어색하고 몸에 익숙하지 않습니다.

사울 (*차고 있는 칼을 벗으면서*) 내 칼도 차고 가라.

다윗 (*왕의 칼을 차면서*) 왕의 은총이 제게 과합니다. 왕이시여, 아무래도 이 옷은 저에게 맞지 않습니다. 여호와는 제가 갑옷 입는 것을 원치 않으시는 것 같습니다.

사울 전사는 전투복을 입고 방패를 들어야 하네. 자, 이제 준비가 다 되었군.

(*다윗은 방패를 든다.*)

다윗 가보겠습니다. 칼과 전투 장비를 갖추고 가겠습니다.

(*다윗은 칼을 흔들어보고 앞으로 조금 나아가다가 갑자기 돌아선다.*)

제 몸에 익숙지 않은 것들을 걸치고 갈 수는 없어요. 제가 증명해 본 적 없는 도구들입니다.

(다윗은 방패를 내려놓는다. 급히 칼을 풀어서 사울 왕에게 다시 건넨다. 철모도 벗는다. 시종은 다윗의 갑옷 벗는 것을 돕는다.)

사울 그렇게 무장해제하고 맨몸으로 싸우러 갈 수는 없지 않으냐?

다윗 여호와가 사시는 한 저는 오직 여호와 하나님만 의지하고 나아가겠습니다.

골리앗 목소리 이스라엘의 하나님은 새장 속의 푸른 비둘기이고, 이스라엘 병사들은 블레셋 망에 걸린 메추라기들이다. 너희들은 이스라엘 뒷간에 있는 구더기에 지나지 않는구나. 지금 바알 신이 큰소리로 웃고 아스다롯 여신은 소매로 얼굴을 가리고 미소 짓고 있다.

다윗 내가 나간다. 나팔을 불어라!

(다윗은 막대기를 집어 들고 급히 무대 뒤쪽으로 또 앞쪽으로 가로질러 계곡을 향해 내려간다. 한편 나팔 소리가 울리고 큰소리로 외치는 전쟁의 소음이 들린다.)

전령 골리앗! 내려오너라! 너 블레셋 사람아, 앞으로 나오너라! 이스라엘이 너와 대항할 장수를 보낸다.

(양쪽 진영에서 고함이 요란하게 터진다.)

삼마 저걸 봐. 다윗이 물가에서 반질반질한 돌멩이들을 줍고 있잖아!

아비나답 돌멩이들을 주머니에 넣고 물매를 손에 들고 있군. 다윗이 늑대를 쫓아가듯 블레셋 놈을 쫓아가고 있어.

사울 저 블레셋 사람이 방패를 앞에 들고 나오는군— 그런데 젊은이는 벌거숭이에다 두려움이 없구나.

골리앗 목소리 이스라엘의 장수는 어디 있느냐? 내 눈엔 보이지 않는다. 무서워서 벌써 도망갔느냐?

다윗 목소리 그래 지금 나간다!

골리앗 목소리 네가 말이냐! 네가 나오는 거냐!

사울 저자가 젊은이를 우습게 보는구나! 오오— 이 모험에서 우리 쪽이 지는 날엔 어찌 되는고!

골리앗 목소리 하! 막대기를 들고 나오다니! 네가 나를 개새끼로 보느냐? 아스다롯 신이 네 얼굴에 침 한 방울 뱉어서 죽일 수도 있고 바알 신이 호탕한 웃음으로 네 뼈다귀를 한방에 분질러 버릴 수도 있어, 이 꼬마야! 알겠냐?

다윗 목소리 너는 칼과 창과 방패를 들고 나오지만, 나는 네가 경멸하는 이스라엘 만군의 여호와의 이름으로 나온다.

골리앗 목소리 하-하! 이리 오너라, 꼬마야! 네 몸뚱이를 공중의 새들과 언덕에 있는 짐승들 밥이 되게 해주마.

(한편 왕과 왕의 전투 장비들을 들고 있는 시종만 제외하고 병사들과 삼마, 아비나답은 계곡 아래를 내려다보려고 좀 더 계곡 쪽으로 가까이 모여든다.)

다윗 목소리 오늘날 나의 하나님이 너를 내 손에 붙이셨다. 내가 너를 단번에 쳐서 네 모가지를 베어 버릴 것이다.

골리앗 목소리 하하! 꼬마도 입이 있다고 종알댈 줄 아는군! 어서 이리 오너라! 계란 같은 녀석! 내가 너를 삼켜 버릴 거야!

(블레셋 쪽에서 우렁찬 함성이 들린다.)

다윗 목소리 오늘 내가 블레셋 병사들의 시체를 공중의 새 떼와 육지의 짐승들에게 던져 줄 것이다. 온 땅에 하나님이 살아계심을 알게 해주마!

(이스라엘 쪽에서 우렁찬 외침이 들린다.)

골리앗 목소리 재잘대는 새 새끼, 이리 오너라! 이 칼이 네 눈에 보이느냐? 어서 이리 와라!

(블레셋 사람들의 고함 소리 들린다.)

다윗 목소리 오냐! 블레셋 병사들아, 모두 들어라! 우리의 여호와는 칼과 창으로 구하지 아니하신다. 전쟁은 여호와께 속해 있고 여호와는 너희들을 오늘 우리 손에 붙이셨다.

(*이스라엘 쪽에서 용기백배한 저항의 함성이 우렁차게 울린다.*)

골리앗 목소리 네가 떠벌리는 서푼짜리 입으로 우리가 죽어야 하느냐? 내 앞으로 나오지도 못하면서, 가까이 오지도 못하는 주제에 입만 놀리느냐? 그렇다면 거기 서 있거라! 내가 너를 잡으러 가겠다.

(*블레셋 쪽이 떠들썩하다.*)

시종 저 블레셋 장수가 다윗 쪽으로 급히 오고 있습니다. 오, 저것 좀 보세요. 저 청년이 골리앗을 향해 재빠르게 돌진하고 있습니다. 하-아-아! 그가 물매 돌을 던집니다!

(*시종은 왕을 홀로 남겨두고 가까이 가서 보려고 갑자기 앞쪽으로 힘차게 튀어 나간다. 엄청나게 요란한 함성이 울리고 병사들이 달려 나간다.*)

사울 (*안절부절 어쩔 줄 모르며*) 아! 아! 하나님, 나의 주님이시여! 우리 청년이 쓰러졌나요? 뭐라고? 블레셋 사람이 쓰러졌다고? 오!

(사울이 조금 앞으로 나아가서 내려다본다.)

오! 거인이 쓰러졌구나! 소년이 물매 돌을 그에게 날렸어! 이건 주님이 하시는 일이다. 저자가 일어나지를 못하는군! 오, 여호와여! 이게 이렇게 간단히 끝나는 일이었나요? 오, 이렇게 쉬운 일이었나요? 아— 그런데— 그런데— 이런 일을 어찌하여 나는 하지 못했는가! 보아라! 너 사울아, 너 이스라엘 왕아! 쓰러진 블레셋 사람에게 달려가는 저 어린 이스라엘 소년이 보이느냐? 소년이 블레셋 사람의 손에서 칼을 취하여 저자의 몸을 밟고 올라서는구나! 거인의 목을 자르는구나! 아, 이스라엘 왕아, 네 꼴은 어떠냐! 이 광경을 멀리 안전한 곳에 홀로 떨어져서 지켜보는 네 꼴이 참 가관이다! 목청 터지는 저 함성이 들리느냐? 환호하는 이스라엘 백성들 소리가 들리느냐? 들어라! 저 소리는 나를 위한, 사울 왕을 위한 게 아니다. 저 고함은 저 소년을 위해 지르는 함성이다. 입가에 이제 겨우 솜털 같은 수염이 보송보송한 저 애송이가 누구 집 자식인지 난 모른다. 저 거대한 거인의 머리를 싹둑 베어내는 솜씨가 어디 쉬운 일인가! 모가지 관절의 위치도 못 찾을 어린 소년에게 어찌 저런 기술이 있는고! 아직도 저 애가 몸을 구부리고 있구나.

(미친 듯 엄청난 광란의 함성이 울려 퍼진다.)

아! 과연 하늘을 찌르는 함성이로다!

(*아브넬이 달려 들어온다.*)

아브넬 왕이시여! 저 청년이 블레셋 장수를 물매 돌로 죽였습니다. 그의 목을 잘라서 병사들에게 들어 올려 보이고 있습니다.

사울 참으로 장하도다!

아브넬 예! 청년이 골리앗 몸뚱이를 밟고 그 위에 올라서 있어요. 골리앗의 머리를 이스라엘 쪽을 향해서 높이 들어 올려 보이는군요! 여호와께서 승리하셨습니다!

(*귀청을 뚫을 듯 요란한 함성이 계속 들린다.*)

병사들 (*뛰어가면서*) 블레셋 병사들이 도망간다! 쫓아가자! 저자들 뒤를 쫓아가자!

아브넬 왕께서 앞에 나서서 추격을 인도하지 않으시렵니까? 쫓아가지 말까요? 저것 보세요. 블레셋 병사들이 싸움을 포기하고 창을 내던지고 모두 달아나고 있습니다!

사울 아브넬, 지금은 지도자가 필요치 않아 보이는구려. 도망가는 적의 등을 치는 건 누구나 할 수 있지 않겠소? 우리 쪽 청년은 어쩌고 있소?

아브넬 블레셋 장수의 갑옷을 벗기고 있습니다. 피로 범벅이 된 거인의 벌거벗은 몸뚱이가 땅바닥에 있어요.

사울	저 청년은 누구요? 저 청년이 누구 집 아들인지 알아보시오.

아브넬	지난번 왕께서 할 수 있는 일을 알아보라던 목동 다윗입니다. 수금을 잘 타는 청년입지요.

사울	요나단 친구, 다윗, 그 청년 말인가?

아브넬	예, 그렇습니다. 그가 개울 쪽으로 오고 있어요. 이곳으로 데리고 오겠습니다.

(*아브넬은 퇴장한다.*)

사울	그래, 저 아이가 이리로 오고 있구나! 혼자 언덕을 올라오는군. 이스라엘 병사들은 개 떼 쫓듯이 블레셋 병사들 뒤를 쫓아가고 있어. 적들의 천막을 모조리 부수는구나. 창문이 열렸을 때 먹이를 보고 몰려드는 벌 떼 모습이다. 이런 날을 기념하는 노래를 우리는 지어야 한다. 그러나 사울을 기념하는 날은 아니지. 이스라엘 처녀들이 누구를 위해 노래하려는가? 저 애송이를 위해 노래하겠지? 저 애가 한 손에는 적장의 머리를 흔들면서 또 한 손에는 적장의 방패를 들고 언덕을 올라오고 있구나. 처녀들은 입언저리에 갓 자란 턱수염이 달린 저 잘생긴 청년을 위해서 노래할 것이다. 참으로 혈색 좋은 싱싱한 녀석이군. 싱싱한 청년이야. 아, 하나님! 오, 하나님! 나도 한때는 저 청년처럼 싱싱하지 않았던가요? 아, 나의 젊음은 다 어디로 갔나? 남자에게 싱싱함이 있다는 것은 그 육체 속에 주님이 계신다는 증거다. 아, 청년아! 소년아! 난 네 손에 들고 있는 네가 베어낸 블레셋 장수의 머리가 부러운 게 아니다. 네가 왕국을 차지했다 해도 부럽지 않다. 내가 가슴 저리게 부러워하는 건 네 몸의 싱싱함, 네 안에 계신 너의 주님, 바로 그것이야. 내 안에 있던 싱싱함은 이제는 사라졌어. 싱싱함이 나를 떠나버렸어. 내가 사무엘 선지만큼이나 늙었기 때문은 아니다. 늙었다 해도 하나님의 기민함과 살아계신 하나님의 싱싱한 자태를 내 안에 여전히 그대로 지니고 있을 수 있는데... 그럴 수만 있다면! 그런데 난 그 좋은 것을, 가장 좋은 것을 잃었어. 한때 내게 있던 나의 가장 값진, 가장 귀한 것을 내가 내 손으로 내어버린 꼴이 되었다! 내 손으로 내가 버렸으니! 내가 어리석어서 놓쳤어. 하! 저 애가 어디로 가고 있느냐? 이쪽으로 오지 않고 옆길로 들어서고 있잖은가. 병사들 막사가 있는 쪽으로 가고 있네. 아-하! 아-하! 그렇구나. 저 애가 유다의 막사로 가는구나. 아, 베들레헴의 막사로 가고 있구나! 그렇다. 그가 획득한 전리품, 청동 철모, 청동 갑옷, 외투, 큰 칼, 주홍빛 술 장식이 달린 셔츠를 가지고 자기네 막사로 가는 거야. 그래, 너의 막사에 가져다 나란히 늘어놓아라. 그건 모두 네 것이니까. 모두 다 너의 소유품이니, 너의 막사에 두어라. 왕 앞으로 가져올 필요 없지. 왕의 전리품이 아니니까! 그래, 아브넬이 그를 이리로 데리고 오는군. 골리앗의 머리를 들고 오는구나. 오, 그렇지, 네가 장수다. 네가 승리자야! 저 머리를 왕의 코앞에 대고 흔들어 보이려고 들고 오는 거겠지? 그런데, 그 칼과 청동 갑옷, 그가 취한 전리품들은 다른 사람의 손을 타지 못하도록 자기 가문의 막사에 두고 온단 말이지? 오, 빈틈없는 저 녀석 좀 봐라! 신중하고 영민한 녀석이로다. 이게 다 하나님이 하시는 일이구나.

(*다윗이 골리앗의 머리를 들고 아브넬과 함께 들어온다.*)

사울 그래, 자네를 다시 만나는군.

다윗 네, 왕이시여, 적장의 머리를 왕 앞에 놓습니다!

사울 자네는 누구 집 아들인가, 젊은이?

다윗 왕의 종인 베들레헴의 이새의 아들입니다.

사울 그렇구나! 자네가 요나단의 친구 다윗이로군! 전쟁의 명 장수 삼 형제, 엘리압, 아비나답, 삼마의 동생 다윗이로구나! 자네는 슬기로운 꾀가 있어. 관목에 숨은 토끼 한 마리 잡듯 적장의 목을 그리 쉽게 베다니!

아브넬 보십시오! 여기 돌을 맞아 푹 패인 이마 자국이 있어요. 다윗이 던진 돌멩이가 아직도 이마에 박혀 있어요.

사울 그렇군. 무기 하나 없이 맨손으로 죽였단 말이지.

아브넬 골리앗 이마에 구멍을 낸 저 돌멩이 안에 주님의 힘이 분명 작용한 것입니다.

다윗 주님이 저와 함께하지 않으셨다면 저는 결코 이길 수 없었습니다.

병사들 (*주변에 빙 둘러 모여들면서*) 맞아요. 주님이 다윗의 손에 승리를 안겨 주었습니다.

사울 여호와를 찬양할지어다! 그리고 다윗에게는 약속한 보상을 베풀어줘야지. 젊은이여, 자네는 왕의 손이 건네주는 상급을 바라는가?

다윗 왕의 뜻에 따르겠습니다. 상급은 무엇인지요?

사울 보상의 포고령을 듣지 못하였는가?

다윗 네, 듣지 못했습니다. 아버지가 형들에게 전하라는 식량을 들고 오늘 새벽에야 이곳에 도착했습니다.

사울 그렇다면 보상에 대한 큰 기대를 안고 저 블레셋 장수를 대항한 게 아니었더냐?

다윗 네, 그런 건 아니었습니다, 왕이시여. 살아계신 여호와의 군대가 당하는 수치와 치욕을 씻어내기 위해서 여호와께서 저를 움직이신 줄로 압니다.

사울 장하도다. 그래도 보상은 받고 싶겠지?

다윗 어떤 보상인지 왕께 직접 듣고 싶습니다.

사울 아브넬, 보상의 내용을 기억하오?

아브넬 예, 알고 있습니다. 일대일 결투에서 골리앗을 죽인 자에게는 풍요한 재물과 세금을 내지 않아도 되는 특권을 그 가문에 내리셨고 왕의 따님을 신부로 주신다고 공표하셨습니다.

사울 단 한 번의 몸싸움도 하지 않고, 과연, 다윗은 홀로 적장 골리앗을 죽였어! 젊은이여, 자네에게 내려진 상급을 어떻게 생각하는고?

다윗 오, 왕이시여, 그런 보상이 주어진다면, 저의 아버지를 위해서 한량없이 기쁩니다. 더욱이 왕의 사위가 된다는 것은 저로선 감당키 어려운 크나큰 영광입니다.

사울 이제부터 자네는 아버지 집으로 돌아가지 말고 내 집에서 나와 함께 살게. 보상 처리는 포고된 대로 진행될 것이네. 분명 엄청난 큰 명예를 자네가 이스라엘에 안겨 주었으니 그만한 보상은 마땅하지. 이스라엘 온 백성 앞에서 자네는 최고의 전사로다. 앞으로는 자네가 왕의 오른편에 앉을 것이고, 온 백성은 자네로 인해 기뻐할 것이야. 그러나 아직 목동 출신의 어린 나이이니만큼, 일을 급하게 서둘러서 자네를 당황시키지는 않을 생각이네. 그러할지라도 나의 아들로서 우리와 함께 살고, 아들 된 도리에 따라 자네는 왕의 식탁 내 옆자리에 함께 앉으리라. 나의 큰딸 메랍을 자네에게 아내로 줄 것인즉, 자네는 오직 나를 위해 용감하게 하나님의 전투에서 싸우라.

다윗 오, 왕이시여, 종은 하나님 보시는 앞에서 왕을 섬기겠나이다. 사울 왕께서는 이 블레셋 사람의 머리를 장대에 달아 매시겠습니까?

사울 아니다! 그건 자네가 직접 유다의 예루살렘 백성에게 가지고 가게. (*혼잣말로*) 이 아이가 바로 사무엘 선지가 택했다는 아이로구나.

여덟째 장면

(엘라에 있는 왕의 막사. 검은색의 네모난 소모사 막사의 앞쪽은 넓게 열려 있다. 투구와 갑옷들과 전리품들이 잔뜩 쌓여 있다. 막사의 안쪽에 사울 왕이 한가운데 있고 그의 오른편에는 다윗이, 왼편에는 요나단이 앉아 있고, 그 주위를 이스라엘 장수들이 둘러앉아 있다.)

사울 앞으로는 군사를 십, 백, 천 단위로 나누어 배치할 것이오. 블레셋을 쫓던 우리 군사들이 모두 돌아왔고, 전리품도 다 들어왔소. 블레셋의 부상자들은 길에서 쓰러져 죽었소. 에크론과 가드의 성문까지 즐비하게 늘어선 적군의 시체들이 살아서 도망간 자들보다 더 많소. 그렇지만 아직도 적의 왕자들이 성안에서 요새를 잘 방어하고 있는 위험한 상황이오. 우리가 기쁨을 누리고 자축하기엔 아직 이르오. 블레셋 사람들의 간담이 서늘한 이 기회에 우리가 저들을 철저히 공격해야 하오. 장수들 생각은 어떻소?

장수들 그렇습니다. 왕의 말씀이 옳습니다!

아브넬 적장을 돌멩이 하나로 쓰러트린 승리를 이어서 우리는 칼과 창으로 저 무할례 자들을 무찔러야 합니다. 이 땅에서 한 명도 남기지 않고 여호와의 이름으로 공격하고 진멸해야 합니다.

장수들 예, 그렇습니다, 오 왕이시여!

(*모두들 방패를 두들긴다.*)

사울 (*다윗을 소개하며*) 모두들 알다시피 이쪽은 블레셋의 골리앗을 죽이고 우리 이스라엘을 수치에서 구해낸 다윗이오. 오늘 우리 모두의 마음속 깊은 곳에 다윗이 있지 않소?

장수들 예, 그렇습니다. (*방패를 두드리며*) 우리에게 다윗이 있습니다.

사울 오늘 장수들 가운데 누가 제일 으뜸이오? 다윗이 아니오? 나의 아들 다윗이 아니오?

장수들 다윗입니다. 다윗이 으뜸입니다!

사울 그렇소, 장수들! 그대들의 왕인 나는 장수들 가운데 한 명에 지나지 않소. 오늘 전투의 대장이 누구요? 누구를 감독자로 세워 병사들을 그의 손에 넘겨주어야 하겠소? 다윗이 아니겠소? 이번에는 다윗이 군을 이끌어야 하지 않겠소? 다윗이야말로 블레셋을 대항한 용감한 자가 아니오? 그렇지 않소? 지금부터 진격의 승리를 위해 군사를 이끌 자가 다윗 말고 또 누가 있겠소?

장수들 맞습니다! 블레셋을 완전히 말살하고 돌아올 때까지 다윗이 군사를 지휘해야 합니다.

(*장수들은 방패를 호전적으로 두들긴다.*)

사울 (*다윗에게*) 다윗, 나의 기쁜 아들이여! 장수들의 말을 들었는가?

다윗 오, 왕이시여, 저는 전쟁의 지휘자가 아닙니다. 제게는 전투 기술이 없습니다. 그런 명예는 저에게 부담이 되고 난처합니다.

사울 아닐세. 이번에는 자네가 이스라엘 병사 대장으로서 책임을 맡아 주게. 장수들은 대답해 보시오. 어떻게 생각하오?

장수들 진정으로 왕의 말씀이 옳습니다. 이번 전투의 지휘는 다윗이 맡는 게 마땅합니다.

(*장수들은 모두 다윗 앞에 일어서서 방패를 마치 다윗을 들어 올리듯 높이 치켜든다.*)

사울 지금 바로 출발하지 않으면 적을 공격할 호기를 놓칠 수 있소. 결정은 자네에게 달렸네, 다윗!

다윗 왕이시여, 이 종은 왕의 뜻과 장수들의 뜻을 따르겠나이다.

(*그는 자리에서 일어나 장수들 앞에 선다.*)

그러나 저는 아직 어리고 전쟁에 익숙하지도 못합니다. 장수들과 용맹한 사병들이 경험 없는 저를 보고 주제넘고 뻔뻔스럽다고 조롱할 것입니다.

아브넬 아니오! 그대를 얕보고 웃을 자는 아무도 없소. 젊은 독수리가 싸우듯 힘차게 싸워 줄 것을 믿소. 그대는 전쟁을 이끌면서 전술을 익히게 될 것이오.

다윗 왕과 장수들이 저에게 그토록 청하시니 따르겠습니다.

사울 (*자리에서 일어나면서*) 곧 전투태세를 갖추도록 막사에 기별하시오. 그리고 이번 전투의 지휘관은 다윗임을 알리시오! 다윗은 장수들을 선발하고 진군할 것이니, 다윗이 명령을 내리면 장수들은 그의 명령에 따라 움직이시오. 다윗, 오늘의 전투는 온전히 자네 손에 달렸네!

장수들 다윗을 위하여!

(*장수들은 창과 방패를 들고 왕과 다윗에게 경례한다. 다윗과 요나단만 남고 모두 퇴장한다.*)

다윗 (*요나단에게*) 요나단, 내가 어떻게 이 전투를 이끌고 승리할 수 있겠는가?

요나단 자네는 이스라엘을 실망시키지 않을 걸세. 자네는 유다의 젊은 사자, 여호와의 싱싱한 독수리가 아닌가? 오, 다윗, 자네가 높이 올라가서 나와 자네 사이가 멀어지는 건 아니겠지?

다윗 무슨 그런 말을 하나? 내 영혼에서 그대가 멀리 떠난 적이 없네. 우리 둘의 영혼은 피보다 진한 형제임을 서로 맹세하지 않았는가? 주님이 살아계시는 한 요나단의 영혼은 어느 형제의 영혼보다 내게 더 소중하다네.

요나단 다윗, 나의 영혼과 자네의 영혼이 잘됨만이 우리 사이에 평안을 가져올 수 있다고 믿네.

다윗　그런데 말이야, 내가 어떻게 이 병사들을 이끌고 전쟁터에 나갈 수 있겠는가?

요나단　자네는 무엇이 그렇게 두려운가? 겁내지 말게. 오늘의 전투에서 성공하면 여호와 앞에서 우리는 영원히 함께 살 수 있어!

다윗　주님 앞에서 내가 두려워할 건 없지. 그러나 병사들의 얼굴을 보고 있으면 내 마음에 불안감이 생기는 걸 어쩌겠나.

요나단　이스라엘 백성들 마음속 저 깊은 곳에 이들이 우러러보는 다윗이 좌정하고 있지 않은가!

다윗　그렇다고 해도, 다윗이 누군가? 갑자기 떠올라 받들어진 자가 아닌가? 이처럼 그들이 또 갑자기 나를 떨어트릴 수도 있지 않겠는가?

요나단　자네를 누가 떨어트린단 말인가? 싱싱한 독수리 같고 표범처럼 교묘한 솜씨를 지닌 자네를 누가 떨어트릴 수 있단 말인가?

다윗　나는 주님만을 의지하겠네.

요나단　내 말에는 신뢰가 가지 않나?

다윗　물론 그대를 신뢰하지. 난 온전히 그대에게 매달려야 할 판일세. 지금까지 누구도 그대만큼 날 믿어 주고 도와주는 사람은 없었네. 그리고 나로 말하면 그대의 그만한 선행을 받을 자격도 없는 자가 아닌가. 그대야말로 나에 대한 친절을 후회할 날이 없기를 바라네!

요나단　무슨 그런 소리를! 어떤 것도 우리 두 사람의 영혼을 영원히 갈라놓지 못할 것임을 우리 서로 맹세하게나.

다윗 주님이 사시는 한 내 영혼은 영원히 나의 형제 요나단의 영혼과 하나 되어, 하늘 위에도 함께 올라가고 지하 웅덩이에도 함께 내려갈 것이고, 그대 가문과 우리 가문 사이의 약속은 영원할 것이네. 장차 그대는 내 가족을 지켜주고 나는 그대 가족을 지켜주고. 이 땅에서 요나단처럼 너그럽고 정의로운 사람은 없다는 걸 난 잘 알고 있다네.

요나단 우리 사이에는 이제 언약이 있는 거다.

(*그는 얼굴을 두 손으로 가린다.*)

다윗 (*잠시 머뭇거린 후*) 그런데 말이야, 이스라엘 장수들을 내가 어떻게 인도하고 전진할 수 있겠는가? 그대가 내 옆에 함께 나서 주지 않겠나? 오 제발 그렇게 해주게, 요나단 형제여!

요나단 난 무릎 부상 때문에 아직 다리를 절고 있네. 이런 몸으로야 공격을 지휘할 수 없지 않은가? 다윗, 자네가 하는 일이 내가 하는 일이고 내가 하는 일이 자네가 하는 일이야. 내 갑옷을 자네가 입고 내 칼과 활을 들고 가면 자네에게 힘이 될 걸세. 그러면 백성들 눈에 자네는 왕의 아들이고 하나님의 독수리가 되는 것이네.

(*요나단은 줄무늬 있는 그의 상의를 벗는다.*)

다윗 내가 과연 이 일을 해낼 수 있을까?

요나단 물론이지! 이제는 자네가 왕의 아들이 된 것을 모두 알지 않는가. 독수리는 날개에 황금이 있고 젊은 사자는 용맹하니, 그게 바로 이스라엘 백성에게 비친 다윗의 모습일세.

(*다윗은 무릎까지 오는 허름한 그의 목동 겉옷을 천천히 벗는다. 요나단도 그의 소매 없는 셔츠를 벗으니 허리에 사자 가죽 혁대가 드러난다. 그는 또 팔에 맨 금속 팔찌를 푼다.*)

요나단 내 옷을 자네가 입도록 하게. 내가 죽을 때나 벗게 되는 이 팔찌도 자네가 영원히 차고 있기를 바라네. 그리고 자네 옷은 내가 입도록 하지. 그렇게 함으로써 자네 겉옷은 나의 명예가 되는 것일세.

(*다윗은 요나단의 사자 혁대를 두르고 요나단은 그의 팔찌를 다윗의 팔에 채워주고, 그의 셔츠를 입혀준다. 그리고 그의 채색 줄무늬 진 겉옷을 들고 기다리고 있다. 겉옷을 입은 다윗에게 요나단은 채색 두건과 띠도 건네주고 또 칼과 활과 화살통과 신발도 건네준다. 요나단은 다윗의 목동 옷을 그의 몸에 걸친다.*)

다윗 내 모습이 어때?

요나단 날개가 화려한 독수리 같네. 다윗, 사무엘 선지가 여호와 앞에서 자네 머리에 기름을 부었다는 얘기가 있던데, 그게 사실인가?

다윗 사실이네.

요나단 태양 빛을 발하는 자네 모습을 보면 이를 부인할 자가 없겠어.

다윗 요나단 형제여, 그런 말을 하는 그대 모습이 어째서 슬퍼 보이는 거지?

요나단 나를 넘어서서 내가 닿을 수 없는 곳으로 자네가 멀리 가버리면, 자네를 잃게 될지도 모르지.

다윗 오, 주님! 내 영혼이 요나단의 영혼에서 영원토록 헤어지지 않게 하소서. 이 땅의 모든 사람이 서로 필요하듯 저에게는 요나단이 필요합니다.

요나단 자네와 내가 서로 바꿀 수 있는 게 무엇이 더 있겠는가!

(*사울 왕이 부하들과 함께 등장한다.*)

사울 아! 어느 쪽이 왕의 아들이고 어느 쪽이 목동이뇨?

다윗 왕이시여, 왕의 아드님이 이렇게 하자고 제안했습니다.

요나단 잘했지요, 아버지? 이제 우리 지휘관의 모습이 빛나지 않습니까?

사울 과연 빛나는구나. 왕의 자태를 가진 젊은 새가 털갈이까지 했군 그래, 허허!

요나단 다윗의 겉옷이 저의 양어깨를 명예롭게 빛내줍니다.

사울 준비는 완료되었는가, 용감한 젊은이?

다윗 네. 모두 준비되었습니다, 왕이시여!

사울 병사들 배치는 끝났고, 이제 모두들 자네가 나타나기만 기다리고 있네.

다윗 왕께서 인도하시는 곳으로 따르겠습니다.

사울 요나단, 출발하려면 너도 겉옷을 더 걸쳐야겠다.

요나단 (*급히 몸을 돌리면서*) 저는 무릎 부상으로 나서지 않겠습니다.

(*다윗은 사울을 따라 막사를 나오고, 이를 지켜본 군사들의 힘찬 함성이 울린다.*)

요나단 (*혼잣말로*) 여호와께서 왕위를 다윗에게 넘기시려고 그의 머리에 기름을 부으셨다면, 요나단은 여호와께 아무것도 따지지 않으련다. 이 사실을 나의 아버지도 알고 계시리라. 그러함에도 아버지는 하나님을 강한 압력으로 밀어붙이시는구나. 하나님이 내게는 나타나신 적이 없지만, 한때는 지금 다윗에게서 볼 수 있는 그런 번득이는 위용을 나는 아버지에게서 볼 수 있었지. 나의 삶은 나의 아버지에게 속해 있지만 내 영혼은 다윗의 영혼과 같이 있으니, 나도 어찌할 수가 없구나. 하나님은 오늘의 왕과 내일의 왕 사이에 꼼짝없이 끼어 있는 나를 내려다보고 계신다. 서로 반대 방향으로 잡아당기는 두 마리 야생마 사이에 이미 나는 찢겨 있지 않은가. 그러함에도 내 안에 흐르는 피는 아버지의 피요, 나의 영혼은 다윗의 영혼이니, 나의 오른손과 나의 왼손이 내 한 몸에 서로 낯설게 달려 있구나.

▌아홉째 장면

(*길갈. 사울의 집 바깥뜰. 내정으로 통하는 문이 열려 있다. 처녀들이 악기를 들고 문밖으로 달려 나온다. 남자 종들이 멀리 내다보고 있고 백성들은 길 위에 기다리고 서 있다.*)

처녀들 랄랄랄라 랄랄라 – 룰룰룰루 룰룰루 –

메랍 유다에서 사울 왕이 돌아오신다!

미갈 다윗이 블레셋 대장을 죽였다!

메랍과 친구들 유다에서 사울 왕이 돌아오신다!

미갈과 친구들 다윗이 블레셋 대장을 죽였다!

모두들 (*여러 차례 반복하면서*) 랄랄랄라 랄랄라 – 룰룰룰루 룰룰루 – 랄랄랄라 랄랄라 – 룰룰룰루 룰룰루 –

메랍 블레셋 족속이 모두 도망갔다.

미갈 길 위에는 그들의 시체가 즐비하다.

메랍 적들이 부상으로 길에 쓰러져 있다.

미갈 에크론 넘어 가드까지 그들이 쓰러져 있다.

메랍과 친구들 블레셋 족속이 모두 도망갔다.

미갈과 친구들 길 위에는 그들의 시체가 즐비하다.

메랍과 친구들 에크론 넘어 가드까지 그들이 쓰러져 있다.

모두들 (*계속적으로 반복하면서*) 랄랄랄라 랄랄라 – 룰룰룰루 룰룰루 – 랄랄랄라 랄랄라 – 룰룰룰루 룰룰루 – 랄랄랄라 랄랄라 룰룰룰루 룰룰루 –

메랍 사울이 죽인 자는 천천이오!

미갈 다윗이 죽인 자는 만만이오!

메랍과 친구들 사울이 죽인 자는 천천이오!

미갈과 친구들 다윗이 죽인 자는 만만이오!

랄랄랄라 랄랄라— 룰룰룰루 룰룰루--

모두들 랄랄랄라 랄랄라— 룰룰룰루 룰룰루— 랄랄랄라 랄랄라 룰룰룰루 룰룰루—

메랍 유다에서 사울 왕이 돌아오신다.

미갈 다윗이 블레셋 대장을 죽였다.

메랍과 친구들 유다에서 사울 왕이 돌아오신다.

미갈과 친구들 다윗이 블레셋 대장을 죽였다.

모두들 랄랄랄라 랄랄라— 룰룰룰루 룰룰루— 랄랄랄라 랄랄라— 룰룰룰루 룰룰루—

(사울 왕이 들어오고 그의 뒤를 다윗, 요나단, 아브넬이 따라오고, 그 뒤를 무장한 병사들이 따라 문 안에 들어올 때까지 처녀들은 이 단순한 곡조를 반복한다. 처녀들은 노래 부르면서 계속 춤을 춘다. 메랍과 그의 친구들은 병사들의 한쪽 편에 서 있고 미갈과 그의 친구들은 병사들의 반대편에서 계속 큰소리로 노래하고 춤을 춘다. 병사들은 아무런 반응도 보이지 않은 채 두 줄로 선 여인들 사이를 통과하여 문 안으로 천천히 들어오고 있다. 처녀들은 시종들이 들고 오는 전리품을 들여다보며 뛰어온다. 모두들 문 안으로 들어온다.)

▌열 번째 장면

(*길갈에 있는 사울의 내정. 백성들과 병사들이 어지럽게 얽혀서 내정으로 들어오고 있다. 밖에서는 처녀들의 노래가 그치지 않는다.*)

아브넬 다윗이 또 승리하고 돌아왔습니다. 왕이시여, 승리를 축하하는 희생제물을 언제 잡을까요?

사울 아브넬, 오늘 밤 내가 수송아지 한 마리를 우리 가문을 위해 제물로 바칠 것이고, 황소 한 마리는 우리 집 가솔을 위해서 잡을 것이니라. 병사들을 위해서는 여러 마리의 황소와 양과 염소들을 잡을 것이니, 그리들 준비하시오.

아브넬 알겠습니다. 오늘은 우리의 여호와 하나님이 허락하신 이스라엘의 위대한 날입니다. 제물과 함께 전리품도 백성들에게 나누어 줄 것입니다.

(*멀리서 노래가 들려온다.*)

메랍 사울이 죽인 자는 천천이오.

미갈 다윗이 죽인 자는 만만이오.

모두들 랄랄랄라 랄랄라 – 룰룰룰루 룰룰루 –
사울이 죽인 자는 천천이오. 다윗이 죽인 자는 만만이오.
랄랄랄라 랄랄라 – 룰룰룰루 룰룰루 –

사울 여자들이 부르는 저 노랫소리를 들어보시오!

아브넬 예, 듣고 있습니다.

사울 노래하는 저 여자들 입술이 부르터 버려라!

아브넬 아니옵니다! 사울 왕이시여, 오늘은 그런 말씀 하시면 아니 됩니다.

사울 다윗을 만만으로 부르고 나를 천천으로 부르는 저 노래가 그대 귀에는 들리지 않느뇨? 그렇다면 이제 다윗이 다음에 노릴 것은 왕관 말고 또 뭐가 있겠는가!

아브넬 아닙니다. 천부당만부당한 말씀이옵니다. 오, 사울 왕이시여! 여자들이 가볍게 부르는 노래에 불과합니다. 저들을 그냥 내버려 두십시오. 단순한 여자들 눈에는 골리앗 이마에 박힌 돌멩이 이외는 보이는 게 없어서 그렇습니다. 고정하십시오, 왕이시여!

사울 저 양치기 녀석이 여자들 주둥이 놀리는 대로 나를 밀어낼 것이 아닌가?

아브넬 아닙니다! 그건 왕답지 않은 어리석은 생각이시옵니다.

(*메랍의 뒤를 따라 미갈이 탬버린을 흔들며 뛰어 들어와서 사울 왕의 주변을 맴돈다.*)

메랍 랄랄랄라 랄랄라— 룰룰룰루 룰룰루

사울 저리들 비켜라!

메랍과 미갈 랄랄랄라 랄랄라! 사울, 우리의 왕이시여! 랄랄랄라 랄랄라 — 룰룰룰루 룰룰루! 사울! 사울! 우리의 왕 사울! 사울! 랄랄랄라 랄랄라 – 룰룰룰루 룰룰루!

사울 조용히들 해라! 왕의 명령이다!

(*사울은 퇴장하고 집안으로 들어간다. 요나단과 다윗이 들어온다.*)

메랍과 미갈 요나단! 다윗! 룰-룰-루! 어서들 오세요. 다정한 두 친구여! 룰-룰-루 랄랄라

메랍 요나단은 왕처럼 위풍당당하네!

미갈 다윗은 골리앗의 목을 잘랐어!

메랍 요나단과 다윗! 룰-룰-루! – 아! 고귀한 두 분이 등장하신다!

미갈 (*다윗에게*) 그 거인의 머리는 지금 어디 있어요?

다윗 유다 땅 예루살렘에 있습니다, 아가씨.

미갈 왜 이리로 가지고 와서 우리에게 보여주지 않으세요?

다윗 난 유다 출신입니다. 그들이 그곳에 두기를 원합니다.

미갈 그렇지만 이스라엘 왕은 사울이잖아요. 왕이 원하는 곳에 두어야 하는 것 아닌가요?

다윗 사울 왕께서 예루살렘에 두기를 원하십니다.

미갈 전투복과 칼과 방패 등 무기들은요? 청동 갑옷은 그 무게가 오천 세겔은 될 텐데. 그것들은 다 어디에 두었나요? 오, 다윗! 블레셋 전투복과 전쟁 도구들을 보고 싶어요. 저희에게도 보여주세요!

다윗 전투복은 예루살렘의 제 아버지 집에 있고, 칼은 사무엘 선지가 계시는 라마의 주님 앞에 두었습니다, 아가씨.

미갈 칼을 왜 사무엘에게 가지고 갔어요? 당신은 내 이름이 뭔지는 알고 있어요?

다윗 네, 미갈 아가씨입니다.

미갈 그래요, 내가 미갈이어요. 여기는 내 언니 메랍이고요. (*메랍에게*) 언니, 다윗이 언니 마음에 드는지 말해 봐. 요나단 오빠, 아버지가 메랍 언니를 블레셋 장수를 죽인 자에게 상급으로 준다고 선포한 게 사실이어요?

요나단 그래, 그렇게 선포하셨다.

미갈 우리한테는 그런 말씀 한마디도 없었는데. 오, 언니, 언니의 남편 될 사람을 봐요. 저 사람, 언니 마음에 들어?

메랍 난 저 사람 얼굴을 아직은 쳐다보지 않을 거야.

미갈 언니도, 참! 언니는 저 사람 몰래 턱수염이 몇 개인지도 다 세어보았으면서, 뭘 그래요? 저 사람 얼굴색은 여우처럼 빨개요. 남자의 턱수염은 누렇고 거무스레해야 남자다운 것 아닌가? 언니의 다윗은 얼굴색이 너무 빨갛단 말이야.

메랍 그만해라! 저 사람은 아직 내 남편도 아니고 난 저 사람 여자도 아니야.

미갈 내심으로는 저 사람을 원하면서, 내숭 떠는 거유? 아이고! 언니는 빨간 얼굴의 청년과 이미 짝지어진 사실을 다 알고 있으면서, 뭘 그래! 왕의 딸 체면에 부끄러운 줄도 모르고 말이야!

메랍 얘야, 난 아무 말도 하지 않았다.

미갈 남편을 원하는 언니의 속마음을 숨기기 위해서라도 한 마디

쯤 해야 하는 것 아니유? 오, 다윗, 당신을 그리워하는 우리 언니 메랍이 홀로 한숨짓고 있어요. 당신은 우리 언니가 마음에 드세요?

다윗 메랍 아가씨는 아름답고 겸손한 분입니다.

미갈 언니는 그런 사람인데, 동생 미갈은 그렇지 않다는 말로 들리네요. 그러나 나야말로 아버지 사울 왕을 가장 많이 닮은 딸이어요. 난 왕처럼 높이 올라가는 매 같거든요. 다윗은 우리 언니한테 무얼 갖고 왔나요?

다윗 내가 가지고 온 것은 모두 왕께 드렸습니다.

미갈 그렇지만 블레셋 장수에게서 빼앗은 것은 하나도 없잖아요! 골리앗에게서 포획한 물건을 당신 부친한테 몽땅 가지고 갔잖아요. 여우가 잡은 먹이를 제 집 구멍에 숨겨 놓는 것과 다를 게 없군요. 아, 다윗, 당신은 경계심 많은 약삭빠른 사람이군요!

요나단 전리품은 당연히 다윗의 소유물인데 자기 아버지 집 말고 어디로 가지고 가겠니?

미갈 사울 왕은 다윗의 아버지가 아닌가요? 이곳으로 가져왔어야 하는 것 아니어요, 요나단 오빠? 메랍 언니는 그만한 지참금을 받을 자격이 없단 말이냐고요?

요나단 미갈, 그만 조용히 해라! 골칫덩어리 넌 말이 너무 심하다. 너야말로 블레셋의 파멸을 위해서라도 블레셋 사람한테 시집가야 하는 것 아니냐?

미갈 흥! 문제의 다윗이 우리를 괴롭히려고 왔군, 그래! 요나단,

왜 오빠가 그 블레셋 사람을 죽이지 그랬어요?

요나단 미갈, 그만해라. 자, 우린 안으로 들어가세, 다윗. 여자들이 골치 아프게 나대는군. 우리 집 여자들은 못 말린다니까. 아버지도 우리 집 여자 다루기를 버거워하시거든.

미갈 아이고, 우리 집 여자들이라고? 요나단 오빠, 무슨 말을 그렇게 해요? 다윗, 당신도 여자들 눈에 띄지 말고 어서 안으로 썩 들어가시지! 당신이 먹는 고기에 독약을 넣지는 않을 테니, 마음 푹 놓으시라고!

(*다윗과 요나단은 집안으로 들어가고 미갈은 노래 부른다.*)

다윗은 빈손으로 오고, 메랍은 창피만 당했네! 랄랄라! 룰룰루! –
다윗은 빈손으로 오고, 메랍은 창피만 당했네! 랄랄라 룰룰루!
(*메랍에게*) 언니, 다윗이 빈손으로, 맨몸으로 왔다니까!

메랍 그렇다 해도, 조심하라는 표정이 다윗 이마에 쓰여 있어. 미갈, 너 조심해!

미갈 메랍 언니나 조심해요! 조심하라고! 다윗을 조심해요! 미갈도, 요나단도, 사울 왕도, 모두 모두 다윗을 조심하라고요! 난 다윗 얼굴이 맘에 안 들어. 표정이 너무 어둡고 심각하단 말이야.

메랍 아니야. 다윗의 얼굴은 남자답고 위엄이 있어. 그 사람 표정에는 아무 문제 없어.

미갈 어휴! 저런! 언닌 벌써 다윗한테 푹 빠졌군. 그 사람은 웃지를 않는단 말이오. 난 그가 웃는 모습을 단 한 번도 못 봤어. 메랍 언니, 그건 좋은 징조가 아니야!

메랍 뭐가 좋지 않다는 거니?

미갈 아버지는 그 사람을 언니에게 주지 않을 거야.

메랍 그렇지만 그건 왕의 약속이야.

미갈 난 아버지의 마음을 읽었단 말이야. 표정이 어두웠거든. 다윗의 얼굴도 읽었는데 무겁고 실망하는 표정이었어. 아버지는 메랍 언니를 다윗에게 내어주고 싶지 않으신 거야. 난 알아. 난 알고 있다고.

메랍 왕은 약속을 지켜야 하는 거다!

미갈 언니! 언닌 벌써 다윗한테 빠졌다니까! 양치기 청년을 언니에게 안 준다고 아버지한테 떼쓸 거유? 다윗이 언니에게 마법을 쓴 모양이로군! 얼굴 빨간 유다의 목동이 왕의 딸에게 그물을 씌웠나 봐! 오, 가엾은 메추라기 언니, 그물에 걸린 들꿩같이 불쌍한 우리 언니! 불쌍해서 어쩌나!

메랍 난 그물에 걸리지 않았어! 걸리지 않았다고!

미갈 언니는 걸렸어요! 어느 족장 나리도 아니고, 그렇다고 거대한 목장 주인도 아니고, 고작 양 떼 지키는 하잘것없는 양치기에게 걸렸다니까! 오, 저걸 어쩌면 좋아!

메랍 그건 아니야. 난 그 사람을 원치 않아.

미갈 아니야, 언니는 그 사람을 원하고 있어. 어마어마한 부자가 나타나서 아버지가 언니를 그 부자에게 시집보내면, 언니는 엉엉 소리 내서 울겠지? "안 돼요. 안 돼요, 아버지! 난 다윗의 여자여요" 하면서 말이지!

메랍 네가 말하는 것처럼 난 절대 울지 않는다. 난 다윗의 여자가 아니기 때문이고, 더구나 난 왕의 첫째 딸이기 때문이다!

미갈 언니는 얼굴 빨간 다윗을 원하고 있는 게 틀림없다고! 그리고 그 사람이 메랍의 산봉우리 위로 높이 올라가는 게 이스라엘 사람들 눈에는 다 보인다니까. 내가 분명히 말하는데, 다윗은 우리 두 사람 머리 위로 높이 높이 올라가고 싶어 하는 출세주의자란 말이야.

메랍 그 사람은 내 머리 위로는 절대 올라가지 못한다.

미갈 다윗이 빈손으로 와서 메랍은 망신만 당했네.
랄랄라 룰룰루!

▌열한 번째 장면

(길갈에 있는 왕의 집의 한 방. 벽돌로 된 방바닥에는 깔개가 깔려 있다. 사울, 아브넬, 아드리엘이 작은 화로 주변에 둘러앉아 있다.)

사울 길갈 사람들은 골리앗을 죽인 자를 어떻게 생각하오?

아브넬 예! 지혜로운 젊은이로 그에 대한 평판이 아주 좋습니다.

사울 난 바알 신이 그자를 없애주었으면 하고 바라네! 왕의 딸 메랍은 그를 어떻게 보고 있소?

아브넬 예, 자기 앞가림할 줄 아는 지혜롭고 분별력 있는 청년으로 보고 있습니다.

사울 다윗이 그런 자임에는 틀림이 없지! 부드러운 표정에 발걸음도 조용하고 흡사 바로의 궁궐에 있던 요셉과 같은 자야. 내가 분명히 말하는데, 난 저 교활한 족제비를 좋아하지 않는다.

아브넬 왕이시여, 다윗은 왕의 적이 아닙니다. 그는 신심이 깊고 맑은 눈을 지니고 있어요. 대개 촌스러운 젊은 목동들이 그렇듯이 다윗도 혼자 있기를 좋아하고 수줍음 타는 청년입니다.

사울 자네는 마치 다윗의 아저씨라도 되는 것처럼 말하는군. 난 그자를 베들레헴 양 우리로 돌려보낼 생각이오.

아브넬 오, 왕이시여, 재고해 주십시오. 다윗은 이제 양치기가 아닙니다. 양치기 시절을 훌쩍 넘어섰어요. 골리앗의 머리가 아직 예루살렘 성문 위에 매달려 있는 지금 이때 그를 유다 땅으로 보내시렵니까? 다윗은 온 유다 백성의 총애를 한 몸에 받고 있지 않습니까? 그를 이곳 길갈에 홀로 떼어 두는 편이 좋습니다.

사울 난 다윗을 잘 안다! 내가 그를 멀리 보내버리면 백성들은 그를 유다 왕으로 삼을 것이고 사무엘은 이를 인증해 주겠지. 맞아. 그가 그 거인의 칼을 라마의 사무엘에게 가져 가지 않았는가? 사무엘은 그를 모든 백성이 보는 앞에서 "그대는 이스라엘에서 여호와가 선택한 자로다!"라고 말하며 축복했을 게 틀림없지!

아브넬 만일 그렇다면, 왕이시여, 태양을 하늘에 되돌려 놓는 일은 우리가 할 수 있는 일이 아닙니다. 다윗은 왕께 충성스러운 종이고, 요나단과도 서로 의지하는 친구가 아닙니까? 저는 다윗에게서 왕께 불충하다고 추정할 만한 빌미를 하나도 발견하지 못했습니다.

사울 내 집 가족들이 나에게 대항하고 있소. 이건 저주요. 아, 내게 내려진 저주라오! 나의 자식들이 나의 주적을 사랑하고 있으니! 여호와 앞에서 내 지위를 빼앗은 그놈을 말이오. 그렇지만 그가 결코 나를 밀어내고 내 자리에 날아오를 수는 없지! 내가 단언하는데, 절대 그럴 수 없소! 그자는 절대로 내 큰딸과 결혼하지 못하오. 내가 허용하지 않을 것이니까!

아브넬 그렇지만 두 사람의 결혼을 사울 왕께서는 이미 선포하시고 약속하신 것 아닙니까?

사울 사울 왕이 한 약속을 사울 왕이 취소한다. 남의 자리를 빼앗는 자와 무슨 약속을 지킨단 말이냐? 아브넬, 다윗을 천부장 지휘관으로 선택하지 않았던가? 사울의 군대에서 천 명 군사의 대장 노릇은 그대로 유지하도록 두겠네. 암, 그렇지! 내일 내가 그에게 이렇게 말하겠다. "나의 장녀 메랍을 보아라. 내가 내 큰딸을 너에게 아내로 줄 것인즉, 네가 오직 나를 위해 그리고 여호와의 전쟁을 위해 용감히 싸울 때 줄 것이다." 그렇게 말하면 그가 천 명의 군사를 이끌고 다시 블레셋과의 전쟁에 빨리 나서고 싶지 않겠소? 그리되면, 내 손으로 그를 처단하지 않고 블레셋 사람 손으로 그를 처치하게 될 것이오.

아브넬 그러하오나, 왕이시여! 여호와가 그와 함께하심으로 그가 죽지 않고 전리품을 갖고 또 한 번 승승장구 승리하여 돌아오면, 그때도 따님 메랍을 그에게 허락지 않으시렵니까?

사울 다윗은 절대로 메랍을 가질 수 없어! 아, 나도 모르겠다. 우리 집으로 그가 살아 돌아오면, 그건 그때 보자. 아브넬, 그때 다시 내가 대답해 줄 것이오.

아드리엘 다윗의 형 엘리압을 통해서 제가 분명히 들었는데요. 아버지 이새의 집에서 사무엘이 다윗에게 비밀리에 이스라엘의 왕이 되는 기름 부음 의식을 치렀다고 합니다. 엘리압은 동생 다윗을 좋아하지 않아요. 다윗이 위세 떨고 건방지고, 미숙한 젊은 애라면서, 뻔뻔하고 자만심에 차 있고, 아버지의 편애로 우쭐댄다고 하더군요. 많은 유대 땅의 사람들은 그가 왕이 되기를 기대하는 게 당연하지요. 이런 이야기도 들립니다. 왜 유다 지파는 베냐민 지파에서 왕이 나오기를 바라느냐, 유다 지파에는 뿔 통에 기름 부음 받은 자가 없느냐고들 한답니다.

사울 허! 그렇구나! 그랬구나! 내일 전쟁을 벌이고 다윗이 군사들과 나서면 블레셋 사람들이 그를 죽일 것이다. 난 여호와를 두려워하는 까닭에 내가 내 손으로 직접 그를 죽이지는 않을 것이야! 그런데 다윗은 지금 어디 있느냐? 이 순간에도 그가 사울의 집에서 무슨 꿍꿍이를 꾸미고 있는가? 오, 아드리엘, 너는 가서 그가 무슨 짓을 하고 있는지 보고 오너라.

아드리엘 예, 알겠습니다.

(*아드리엘은 퇴장한다.*)

아브넬 오, 사울 왕이시여, 적군을 막아내느라 고생하신 왕의 심령을 이제는 질투심으로 힘들게 하시렵니까? 그러시면 왕의 건강에 좋지 않습니다.

사울 나도 내 마음을 어쩔 수 없소. 내 안에 질투라는 버러지가 꿈틀대고 나를 갉아먹고 있소. 아녀자들이 부르는 노래를 들어보시오. 도성마다 모두가 사울이 죽인 자는 천천이요, 다윗이 죽인 자는 만만이라고 똑같이 읊어대고 있으니, 이거야말로 내 속을 파먹고 뒤집어 놓는 좀벌레가 아니겠소? 아브넬, 여호와 앞에서 난 더 이상 왕이 아니라는 느낌이 드는구려.

아브넬 이른 아침 왕께서 직접 주님과 말씀을 나누어 볼 수는 없는지요? 만약 주님께서 사울을 이어 다윗을 왕으로 선택했다고 하시면, 주님께, "주님의 뜻이라면 따르겠습니다." 이렇게 대답하실 수는 없는지요?

사울 나는 그렇게 못 한다! 내 가문을, 내 혈통을 부정할 수 없어! 내 씨를 던져버리고 그 자리에 이새의 종자가 싹이 트게 내버려 둘 수 없다! 난 못 해! 절대로 그렇게 되게는 두지 않을 것이다! 더 이상 그런 말을 내 앞에서 하지 마시오!

아브넬 하나님께서 선택한 자가 왕이 되었으면 좋겠습니다. 사울 왕께서는 언제나 영광스러운 주님의 빛나는 주인공이셨습니다.

사울 그런데, 그랬던 내가 어쩌다 이런 불행한 늪에 빠지게 된 거요? 내가 나를 폐위시켜야 하겠소? 난 차라리 베리알 악마가 되어 바알 신을 불러내야 하는 것 아닌가? 아스다롯 신이 내게는 분명 더 어울릴 것 같소. 이제껏 지켜온 나의 신앙을 지금 와서 버리고 잘라내야만 하다니! 달리 내가 힘 받을 만한 의지할 곳이 어디에도 없단 말이오?

아브넬 저는 모르겠습니다. 천둥소리를 울리는 주님을 직접 듣고 느낀 왕께서는 알고 계시겠지요.

사울 내 귀에 주님의 소리는 더는 울리지 않소. 주님은 입술을 내게 닫아버렸소. 그렇지만 밤이면 밤마다 내 귀에는 주님의 소리가 아닌 다른 목소리들이 윙윙 대는 걸 어쩌겠소? 다른 목소리들 말이오!

(아드리엘이 들어온다.)

사울 그래, 다윗은 지금 어디 있느냐?

아드리엘 요나단의 집에 있어요. 다윗과 요나단이 함께 음악을 짓고 여자들이 둘러앉아 경청하고 있습니다.

사울 아, 베들레헴의 새가 노래를 부르고 있다고? 어떤 노래를 부르던가?

아드리엘 "여호와의 이름이 온 땅에 어찌 그리 아름다운지요" 하며, 여호와를 찬양하는 노래입니다. 남녀 모두 그의 입술에서 흘러나오는 곡조를 배우려고 열심히 경청하고 있습니다. 요나단은 너무나 좋아서 이를 즐겁게 받아 적고 있어요.

사울 그 내용을 기억하느냐?

아드리엘 전부 기억하지는 못합니다. 왕이시여, 멀리서 노래가 들립니다. 귀를 기울여보십시오.

(내정에서 시편 8편의 노래를 부르는 한 남자의 소리가 들린다.)

노랫소리 사람이 무엇이기에 주께서 그를 생각하시며 인자가 무엇이기에 주께서 그를 돌보시나이까? 그를 하나님보다 조금 못하게 하시고 영화와 존귀로 관을 씌우셨나이다. 주의 손으로 만드신 것을 다스리게 하시고 만물을 그의 발아래 두셨으니, 이는 곧 모든 소와 양과 들짐승이며 공중의 새와 바다의 물고기와 바닷길에 다니는 것이나이다. 여호와 우리 주님이시여, 주의 이름이 온 땅에 어찌 그리 아름다운지요!

(*사울은 침울하게 듣고 있다.*)

사울 다윗이 노래하고 듣는 자들이 그를 따라 부르고 있군. 저 노래를 온 세상 사람들이 부르게 생겼구나. 왕은 벙어리처럼 되고 말이지. 그렇다. 난 벙어리가 되고 우리 가문은 한낱 먼지 구더기로 전락할 거야! 난 아무것도 아니야. 무시당하고 조롱받는 존재로 전락했어. 내가 누군가? 내가 무엇인가? 아무도 알아주지 않는 벙어리처럼 소리 없이 무덤에 내려가야 하나? 하-하! 사막에는 깊게 파놓은 우물들이 있다. 그런 곳에서도 목동은 목이 말라 제 얼굴이 시꺼멓게 타들어 가도 양 떼에게는 물을 마시게 하지. 사울에게는 보이지 않는 곳을 볼 줄 아는 눈이 없는가? 어디 보자. 우물 속 시커먼 물이 얼마나 불안에 떨고 있는지, 어디 그 깊은 속을 내 눈으로 들여다보자. 그래, 보인다. 죽음, 죽음이, 죽음이 보인다! 내 몸을 찌르는 칼이 보이고 상처로 갈라진 요나단의 시신이 보인다. 나의 아들 아비나답, 나의 아들 말기수아, 나의 아들 이스보셋, 이 애들이 피를 흘리며 죽어 누워 있는 모습이 눈에 들어오는구나! 아! 내 가문의 창백한 어린아이, 발이 부러진 나의 꼬마 손자가 불구의 몸으로 버러지처럼 기어 다니고 있어. 그렇다. 그래, 이런 종말의 모습이 내 앞에 기다리고 있구나!

아, 저기 다윗의 후손들도 보인다. 저들은 온 땅을 채우고 수많은 다윗의 자손들이 여호와 영광의 바람을 타고 머리를 휘날리는구나. 오호라, 그런데 저걸 좀 봐! 웬일로 저들이 첫바퀴 방향을 반대로 돌리네. 태양을 등지고 돌아서니 컴컴해지는군. 천둥번개 속 폭우가 쏟아지듯 온 땅이 시뻘겋게 물들 때까지 핏덩어리를 쏟아내고 있어! 아! 마치 메뚜기 떼가 꼬리를 물고 대기를 가로질러 하늘을 뒤덮고 날 때처럼, 땅 위에 시커먼 구름을 만드는군. 그런데 저들이 또다시 방향을 트네. 하나님의 빛나는 영광 속으로 다시 돌아오고 있잖은가! 그래, 어느 시기나 새 떼가 날듯 햇살이 비치면서 하나님의 번득임이 보이고, 그러다가 또 어두운 그림자를 드리워 피를 떨구지. 그러다가 또 메추라기들은 봄철에 노래하고, 그러다가 또 죽음이 내리듯 어두운 메뚜기 구름 기둥이 펼쳐진다. 그래서 더 어두워지고 더 깜깜해지고 세상 공기는 메뚜기 날개 부시식 거리듯이 듣기 거북한 꺽꺽 소리를 내지. 인간은 스스로 자기 자신을 잡아먹는 존재들로 변하거든. 그런 인간을 더는 보고 싶지 않은 하나님은 인간을 등지고 돌아서 버리는 거야. 그래서 세상은 사막이 되고 인간은 결국 멸종한다. 그런데도 여전히 이 땅에는 사람들이 득시글거리고 집들과 도구들이 널려 있단 말이지.

그게 그렇구나. 다윗이여, 너의 하나님 발아래에도 구덩이가 있고, 너의 하나님도 그곳에 빠질 때가 있으리라. 오, 다윗의 아들들이 파놓은 구덩이에 하나님이 빠지다니. 오, 사람들이 구덩이를 파서 가장 높으신 하나님까지도 빠지게 하는구나. 사람들이 말하는 사막 너머 먼 땅에 사는 거대한 코끼리를 빠트리듯이 말이야. 이 세상은 하나님 없는 세상이 될 것이다. 산 위에는 하나님이 거닐지 아니하고, 깊고 푸르른 창공의 심장을 흔드는 바람도 불지 않을 것이야. 하나님은 이 세상에서 사라질 것이다. 오직 메뚜기 떼처럼 수많은 인간 군상들만 서로 물어뜯고 삐걱거리며 서로 몸을 밟고 기어 다닐 것이다. 이들의 냄새는 번제 연기 타오르듯 공기를 타고 위로 올라가지만 하나님의 코를 찾지는 못하리라. 하나님은 이미 떠났으니까. 이미 사라졌으니까. 하나님이 사라졌어! 그래서 인간이 이 세상을 물려받겠지? 그래. 윙윙거리는 메뚜기들처럼. 파괴적인 메뚜기 떼처럼 다윗의 후손들이 이 땅에 승리자로 올 것이다. 사울의 가문은 이미 오래, 오래전에 하나님의 본체로 쓸려 올라갔어. 하나님 없는 세상! 수많은 인간 군상들만 메뚜기 떼처럼 몰려다니는 세상! 하나님 없는 세상! 공기 중에도 하나님은 없고, 산에도 없어! 인간들이 깊고 깊은 하늘 밖으로 하나님을 유혹해서 끌어내어 구덩이에 빠트렸으니까! 그래서 하나님이 없는 이 세상은 깨진 계란 껍질 떠다니듯, 의미 없이 텅텅 비어 버렸어. 텅텅 비어 버렸단 말이다. 인간들이 파놓은 구덩이에 하나님이 빠진 것이야! 하! 하! 오, 다윗의 전능자시여! 사람들이 양 떼에게 마실 물을 퍼올리는 사막의 어두운 우물 속 깊이를 전능자도 알 수 없게 되었다니! 하! 하! 유다의 하나님이시여! 시커먼 물이 번득이는 구덩이를 내려다보지 마시오. 하-하! 지금 나 사울은 그 구덩이 속에서 분출하는 운명을 들여다보고 있소이다. 하! 저 죽음과 피를 보라! 인간의 아이들이 전능자를 빠트리기 위해 파놓은 저 구덩이를 전능자는 보지 못하시는가? 하! 하! 나 사울이 말합니다. 저 시커먼 거울 속을 들여다보시라고요. 하! 하!

아브넬 오, 왕이시여, 왕의 심기가 좋지 않습니다. 그만 고정하십시오. 더 이상 들을 수가 없습니다.

사울 하! 아주 좋다! 아주 좋아! 다윗의 하나님을 위해 사람들에게 쥐덫을 놓으라고 해라. 다윗의 하나님이 그곳으로 빠질 것이니까. 하하하! 아하! 사람들에게 길고 긴 날들을 허락하시오. 나는 그런 날들을 요구하지 않을 테니까.

아브넬 왕이시여, 왕의 마음을 어둠이 지배하고 있습니다.

사울 내 눈에도 어둠이 깔렸단 말이지! 하! 그래도 어둠의 웅덩이 속에 앞날이 보인다. 뭐라고? 벌레들이 포도 넝쿨 뿌리 밑에 사는 것처럼 하나님의 작품 아래는 악마들이 없다고? 저기를 보아라!

(*사울은 한 곳을 꼼짝하지 않고 노려본다.*)

아브넬 (*아드리엘에게*) 어서 가서 요나단과 다윗을 불러오시오.

(*아드리엘은 퇴장한다.*)

사울 이 방에는 마귀들이 드글드글 끓고 있다! 내가 알기로는 이건 다 주님의 입김으로 차 있는 거야. 이 세상을 최초에 형성한 어둠 속 번득임. 사람들이 하는 소리에 따르면 신은 거대하고 어두운데, 과거에는 딱정벌레와 같았다고들 한다. 그 딱정벌레 신이 땅을 돌돌 말아서 공으로 만들고 그 안에 그의 씨를 심었어. 그러고는 그 신이 영원히 숨기 위해 몰래 딸각거리며 기어나갔어. 그래서 그 뒤를 이어 세상이 태어난 거야. 그 신은 웅덩이 아래로 깊이 내려갔지. 신들은 죽지 않는다. 이들은 깊은 웅덩이로 내려가서 망각의 밑바닥에서 살고 있어. 사람은 비틀거리고 발부리에 걸려 넘어져서 결국 웅덩이 속으로 자빠지고 말지. 그러고는 망각의 문을 지나 망각의 늪으로, 옛날 신들이 사는 그 아래로 떨어져 내려가는 거야. 그러면 신들은 큰소리로 웃고, 떨어져 내려온 그의 영혼을 파먹지. 다윗의 하나님조차도 그 웅덩이에 빠지는 때가 올 것이다. 웅덩이에 빠져서 망각 저 밑바닥, 뱀이 사는 거기까지 떨어져 내려갈 것이다. 최초의 신 딱정벌레가 사는 어둠이 겹겹이 둘러싸인 그곳까지 떨어질 것이야. 내 눈에는 보인다! 하하! 그 딱정벌레가 만군의 주 여호와 하나님 몸 위로 기어오르는 모습이 내 눈에 보이는구나.

아브넬 오, 왕이여, 진정하소서! 더는 들어줄 수가 없습니다. 차라리 귀머거리가 되고 싶습니다. 이제 그만하십시오! 간청하오니, 제발 그만 그치십시오!

사울 뭐라고? 어둠의 그림자 뒤에서 지금 누가 나에게 말하고 있어. 할 말이 있으면 뒤에 숨지 말고, 그림자 밖으로 나오너라.

아브넬 고정하십시오, 오 왕이여! 그만 평안을 찾으십시오. 그만 아무 말씀 마십시오!

사울 뭐? 지금 그림자 목소리가 평안이라고 했냐? 평안이 무언데? 최초의 딱정벌레가 겹겹의 망각 아래서 평안을 누리고 있느냐? 아니면 그 큰 뱀이 평안 가운데 영원히 휘감겨 있단 말이냐?

(*요나단과 다윗과 몇몇 남자들이 들어온다.*)

사울 (*말을 계속하며*) 내가 말하는데, 세상 끝날까지 뱀 중의 뱀에게 불안이 몰아쳐 뱀은 그 머리를 들고 인간의 자식들을 향해 공격하고 비난할 것이다. 그렇게 뱀은 계속 인간을 공격하고 꾸짖을 것이야!

(*사울은 작은 소리로 공격하는 쉬- 소리를 낸다.*)

쉬! 쉬! 뱀은 인간의 자식들을 공격하고 쫓아낼 것이야! 쉬이 — 쉬이— 이렇게—

(*사울은 단창을 들어 올려 뱀처럼 공격하려 한다.*)

요나단 아버지! 아버지, 음악을 들려드릴까요?

울 아버지라고? 누가 아버지냐? 너는 모르느냐? 번쩍이는 거대한 시커먼 딱정벌레가 너의 첫 번째 아버지였다는 사실을 너는 모르느냐? 옛적에 잊힌 신들이 먼지 구덩이에 알들을 까놓았어. 그 알에서 위대한 인생의 주인이었던 황금 뱀이 나온 것이다.

요나단 (*다윗에게*) 다윗, 자네가 왕께 평강이 찾아오도록 노래를 불러주게.

다윗 왕께서 들어주신다면, 부르지.

(*다윗은 시편 8편을 노래한다. 그가 노래하는 동안 사울은 종잡을 수 없는 헛소리를 한다. 그러고는 어느 한 곳을 침울하게 응시하더니 서서히 침착해진다.*)

사울 뱀은 생명으로 황금빛을 발산했어. 그가 혼자 말했어. 내가 알을 하나 낳겠다고. 그래서 그가 스스로 알을 하나 낳았지. 그 알에서 거대한 흰 새가 나왔는데. 어떤 사람은 그 새를 비둘기라 하고, 어떤 사람은 독수리라 하고, 어떤 이는 백조라고 부르고 또 어떤 이는 거위라고 부른단 말이야. 모두들 하나같이 새라고 불렀어. 모든 신들이 다 컴컴하게 변하듯이, 태양의 생명을 지닌 그 뱀도 어둡게 변했어. 그래, 그 거대한 흰 새는 창공에서 날갯짓하고 큰 뱀은 구멍으로 미끄러져 기어들어 갔지. 뱀이 시야에서 사라졌어. 망각의 망각 속 깊이 내려갔는데, 그래도 아직 딱정벌레의 망각까지는 내려가지 않았다.

(*다윗의 노래는 계속된다.*)

사울 (*거미를 보고 잡듯이 두 손으로 때리면서*) 내 귀에 들리는 저 말벌 같은 소리는 뭐지? 내 예언을 방해하고 못 하게 하는 저 소리는 뭐야! 꺼져라! 꺼져버려!

요나단 아버지, 이건 새로운 노래여요.

사울 요나단, 너의 정체는 뭐냐? 너는 네 아버지의 적이냐?

요나단 아버지, 새로 지은 저 노래를 들어보세요.

사울 뭐라고?

(*잠시 귀를 기울인다.*)

듣지 않겠다! 뭐야! 그만 해. 내가 듣지 않겠다고 하지 않았느냐! 나를 귀찮게 하지 말고, 내 예언의 어두운 물줄기가 계속 솟아나게 하라! 난 저 노래를 듣지 않을 것이다!

(*사울은 노래에 귀를 기울인다.*)

다윗 (*노래하면서*) 하나님의 하늘을 생각할 때 하나님이 정하고 손수 지으신 달과 별을 생각합니다.

사울 뭐야! 생명의 꿀을 훔쳐 가는 도둑놈, 너 누런 말벌아! 네가 거기 있었구나! 내 눈앞에서 계속 얼쩡거릴 테냐?

(*갑자기 그는 단창을 들어 다윗을 향해 던진다. 다윗은 날렵하게 옆으로 비켜서 이를 피한다.*)

요나단 아버지! 이러시면 안 됩니다!

사울 너는 또 뭐야? 너도 거기 있었어? 내 단창을 가져오너라.

(*요나단이 벽에 꽂힌 단창을 뽑아 든다.*)

요나단 아버지! 여기 벽에 뚫린 이 구멍을 보세요! 왕의 가문에 대한 영원한 질책이 꽂힌 구멍으로 보이지 않습니까?

(*요나단은 단창을 사울에게 돌려준다. 사울은 멍하니 앞을 바라보고 그의 마음이 차츰 침울하게 가라앉는다. 다윗이 아주 부드럽게 노래를 다시 시작한다.*)

다윗 (*노래하며*) 오, 주님, 우리의 주님, 여호와의 이름이 온 땅에 어찌 그리 아름다운지요! 하늘 위의 영광을 두르신 여호와여!

(*사울은 고양이처럼 아주 가볍고 조용하게 살금살금 움직이더니, 고양이가 재빠르게 뛰어오르듯 갑자기 단창을 다시 들어 던진다. 다윗은 이번에도 민첩하게 옆으로 뛰어서 이를 피한다.*)

사울 내가 다윗을 벽에 박으리라.

아브넬 다윗, 어서 이곳을 피하시오! 어서 자리를 뜨시오!

요나단 아버지! 단창을 두 번씩이나 다윗에게 던지셨어요!

(*다윗은 나간다.*)

아브넬 (*사울의 단창을 잡으면서*) 오, 사울 왕이시여! 악신이 왕을 지배하고 있습니다. 악신은 뜻을 이루지 못했습니다.

사울 내가 다윗을 찔렀어? 그가 이제 망자들과 함께 있느냐? 구덩이 한가운데 그를 묻어도 되겠느냐?

아브넬 다윗은 죽지 않았어요! 자리를 떴습니다.

사울 (*지친 기색으로*) 자리를 떴다고! 아-아! 다윗이 사라졌다고! 내가 그를 죽이려 했단 말이냐?

요나단 네, 두 번씩이나 그러셨어요.

사울 내가 제정신이 아니로구나. 내가 이성을 잃은 게로구나.

아브넬 네, 왕께서 악신이 들렸던 것입니다.

사울 오, 요나단, 너는 가서 다윗에게 말해라. 사울은 그의 목숨을 노리지 않는다고 가서 말해라. 암, 아니지! 아니고 말고! 내가 다윗을 얼마나 사랑하는데! 너도 그를 사랑하지? 나도 그의 아버지로서 네가 사랑하는 것보다 더 그를 사랑한다. 오, 다윗! 다윗! 난 항상 너를 사랑해 왔다. 나는 언제나 너를 사랑했고, 네 안에 거하는 여호와를 사랑했다— 그런데 내가 악신에게 사로잡혀 네 안에 계신 여호와께 단창을 던졌구나! 나는 문제가 많은 사람이다. 서로 반대 방향의 바람 사이에 끼어 이쪽저쪽 농락당하는 하찮은 존재가 되었어. 오호, 이런 내가 어떻게 사람들 앞에 나서서 걸어 다닐 수 있을꼬!

(*사울은 겉옷으로 그의 얼굴을 감싼다.*)

아브넬 자, 이제 악신이 왕을 떠났습니다. 왕이시여, 평안은 슬픔을 동반하고 옵니다.

요나단 아버지, 악의 시간을 넘기셨어요. 이제 편안한 마음으로 진정하세요.

사울 다윗을 내 앞에 데려오너라. 내 아들 다윗과 화해하고 싶다. 내 가슴이 너무 아프구나.

요나단 네. 알겠어요. 평안 가운데 그를 보시려는 거지요?

사울 그렇다! 난 어둠의 악령이 두렵구나.

(*요나단은 퇴장한다.*)

사울 이제 다윗은 유다 주민들에게 사울이 그를 죽이려 했다고 소문낼 테지.

아브넬 소문내지 않을 겁니다.

사울 그건 왜지? 왜 소문내지 않지? 유다 땅에서 다윗은 그들의 눈에 넣어도 아프지 않은 소중한 존재가 아니냐? 게다가 유다 지파는 베냐민 지파를 그다지 좋아하지도 않는데.

아브넬 그렇지만 다윗은 왕의 신하입니다.

사울 아— 진정 그랬으면 좋겠구나.

(*요나단과 다윗이 들어온다.*)

다윗 여호와께서 사울 왕께 강한 힘을 주시기를 빕니다!

사울 오, 다윗, 내 아들! 어서 오너라. 평안한 마음으로 오너라. 내 손에 무기도 없고 내 마음은 깨끗이 씻겼다. 내 눈은 이제 망상에 사로잡혀 있지도 않으니 안심해라. 다윗, 여호와께서 너와 함께 하시기를 비노라. 내가 저지른 행동으로 인해 나를 나쁘게 생각지 말아다오. 땅의 악령들이 나를 지배하고 있어서 내가 제정신이 아니었어. 내가 혼란에 빠져 행한 짓들을 너는 마음에 두지 않았으면 좋겠다.

다윗 왕께서는 저에게 나쁜 일을 하지 않으셨습니다. 왕의 종인 저는 왕께 안 좋은 감정을 갖고 있지 않습니다.

사울 너는 나를 미워하지 않느냐, 다윗?

다윗 그런 말씀 마십시오, 나의 아버지시여!

사울 아, 다윗! 다윗! 왜 나는 너를 차분한 마음으로 사랑할 수 없는 것일까?— 그렇지만, 나의 잘못된 점을 바로 잡겠다. 너는 이제 헤브론의 천부장이야. 일천 명의 장수다. 그리고 보아라. 나의 큰딸 메랍을 너에게 아내로 줄 것이니라.

다윗 왕이시여, 제 아버지의 가족들이 어떤 신분의 사람들인지 아신다면, 왕께서 저의 생활과 처지를 아신다면— 어떻게 저

같은 사람이 왕의 사위가 될 수 있겠나이까?

사울 아니다. 너는 내 마음속 아들이고, 여호와는 너의 위대한 힘이다. 너는 오직 나를 위해 열심히 봉사하고 여호와를 위한 전투에서 용감히 싸워주기를 바란다.

다윗 저의 온 삶은 왕의 것이고 저의 힘은 왕을 섬기기 위한 것입니다.

사울 좋아, 좋아. 너는 너의 천 명의 군사들을 이끌고 이스라엘을 구해다오.

▌열두 번째 장면

(길갈의 우물가. 물동이를 들고 처녀들이 나온다. 두 명의 목동이 구유에 물을 채우고 있다. 한 명은 우물이 있는 아래쪽에 있고 다른 한 명은 계단에 있다. 두 사람은 단조로운 선율을 거칠게 되풀이하면서 층계 아래 있는 목동이 가죽 물통에 물을 채우면 층계 위에 있는 목동은 이를 받아 구유에 붓는다.)

목동 1 그래, 다윗이 그 여자를 놓쳤어.

목동 2 그렇다면, 그 대신 그 여자의 동생을 취하면 되지, 뭘 그래. 오 – 그러면 되겠네!

목동 1 그래, 다윗이 그 여자를 놓쳤어.

목동 2 그럼 그 여자의 동생을 취하면 된다니까. 그러면 되겠군!

(두 사람은 여러 차례 같은 선율의 가락을 반복한다.)

목동 1 얼마나 오래 기다렸던가, 오 가여운 목동 다윗이여!

목동 2 오호호! 참을 수 없을 정도로 오래오래 기다렸지!

목동 1 (*계단을 올라오면서*) 그래, 다윗이 그 여자를 놓쳤어. 그 여자를 얻는 데 실패했어.

(처녀들은 목동들을 보자 피한다. 다윗이 우물 쪽을 향해 오고 있다.)

처녀 1　　이봐요, 목동 아저씨! 다윗이 오고 있는 게 안 보여요?

목동 1　　아, 다윗이 오고 있구나. 호호! 여보게, 다윗! 그 여자를 놓친 거 맞아요?

(*처녀들이 큰소리로 웃는다.*)

다윗　　그게 무슨 소리요?

목동 1　　그 여자를 놓쳤느냐고 물었소.

다윗　　그 여자가 누구요? 내가 누구를 놓쳤다는 거요?

목동 1　　어라, 정말 모른다는 거요?

다윗　　모르는데요.

목동 1　　아이고, 왕의 큰딸 메랍 말이오. 당신이 블레셋 사람들과 전쟁터에 나가 싸우는 동안, 반 달 전에 메랍의 결혼 축하연이 벌어졌소이다. 그런데 그걸 당신은 몰랐단 말이오?

다윗　　그게 사실이오?

목동 1　　얼랄라, 그게 사실이냐고? 이보시오, 처녀들, 므홀랏 사람 아드리엘이 사울의 딸 메랍을 아내로 맞은 게 맞지요? 아이고, 다윗, 당신은 메랍의 침상을 빼앗겼소이다.

다윗　　사울 왕이 딸 메랍을 므홀랏 사람에게 주었단 말이오? 그거야 왕의 소유를 왕 마음대로 할 수 있는 것 아니겠소?

목동 1　　그야 그렇지. 그러나 왕은 딸을 다윗에게 주겠다고 먼저 약속하지 않았던가요? 그런데 당신 대신에 다른 남자가 그 여자를 데려갔다고요. 처녀들, 내 말 맞지요? 메랍이 므홀랏 사람 아드리엘의 집에서 잠자는 거 맞지요?

처녀 1 네, 맞아요. 왕이 메랍을 그 사람하고 혼인시켰어요. 저기 므홀랏 사람 아드리엘이 물동이를 들고 이곳으로 오고 있네요. 오, 목동 아저씨, 아직은 가축 떼를 구유로 몰고 오면 안 돼요. 여자들이 물을 길어야 하니, 좀 기다리라고 해주세요.

(*처녀 1은 계단을 내려가서 그녀의 물동이에 물을 채운다. 아드리엘이 다가온다.*)

아드리엘 하, 다윗! 돌아왔다는 소식 들었습니다.

다윗 전투를 끝내고 어제 돌아왔소. 새벽에 왕을 뵈었지요. 오, 아드리엘, 당신은 벌써 이스라엘 왕의 사위가 되어 유명해졌더군요. 메랍은 잘 지내는가요?

아드리엘 예, 활기 있게 지냅니다. 내일 일찍 메랍을 나귀에 태워서 우리 아버님 집에 갈 참이오. 저의 부친은 이제 연로해서 집안 소유물 관리가 어려워졌어요. 돌봐드려야 하고 또 며느리 메랍을 보고 싶어 하십지요. 아들들을 많이 생산해 줄 것을 기대하고 계셔요. 손자들이 나오면 할아버지는 기쁘지요. 메랍에게 여러 시녀들이 딸릴 것이고, 집에는 풍부한 재물들이 저장고에 잔뜩 쌓여있습니다!

다윗 행복하게 살면서 메랍이 당신에게 든든한 아들들을 많이 생산해 주기를 빌겠소.

아드리엘 주님이 그렇게 허락해 주시기를! 당신은 이번에도 전리품을 잔뜩 갖고 돌아왔더군요! 블레셋이 또 한 번 크게 혼이 났겠어요. 다윗으로 인해 사울 왕이 아주 기뻐하십니다. 왕의 신하들이 모두 당신을 칭찬합니다. 난 메랍을 아내로 맞아 왕의 사위가 되었소. 그러나 왕에게 딸이 또 하나 있으니 다음은 당신 차례가 되었으면 좋겠소.

다윗 나 같은 가난한 사람도 왕의 사위가 될 수 있다고 쉽게 말하는 걸 보니 당신은 왕의 사위가 되는 걸 가볍게 여기는가 봅니다.

아드리엘 맹세코, 왕은 당신을 즐거워하고 그의 부하들은 모두 당신을 사랑합니다. 왕의 딸을 맞이할 자가 이스라엘에 당신보다 더 적합한 상대가 있겠습니까?

다윗 당신처럼 부유하고 철제 무기를 지닌 병사들을 왕에게 제공할 수 있는 그런 사람에게는 그렇겠지요. 그런데 나는 왕의 종으로서 충성심 밖에는 가진 게 뭐가 있나요?

아드리엘 아니지요. 당신 이름은 병사들 가운데 하늘만큼 높아요. 아, 저기 왕이 오고 계십니다. 저의 거처를 방문하시기로 약속했거든요. 당신도 같이 가겠소?

다윗 아니오, 난 여기 있겠소.

(*아드리엘은 퇴장한다.*)

목동 1 아드리엘이 지껄이는 소리를 엿들었소. 오, 다윗, 확실히 저 자는 왕의 말을 잘 듣는 자요.

다윗 여보게! 그럼 당신은 누구의 말을 잘 듣는 자요?

목동 1 그런 거 없어요. 난 그저 가축 떼가 물을 다 마실 때까지 구유를 지키고 있을 뿐이오. 아드리엘에게는 하인들과 가축 떼가 있지만, 다윗, 당신에게는 주님이 계시고 이스라엘 백성들의 마음을 갖고 있지 않소! 밝고 용감한 사람이 저기 저자보다 낫지요. 저자가 엄청난 군사력과 가축 떼를 소유한 건 맞아요. 팔을 허리에 걸치고 팔꿈치는 양옆으로 뻗대고 거들먹거리며 걷는 저런 자보다 당신이 훨씬 낫습니다. 내가 이 가축몰이 막대기를 부드러운 땅에 꽂는 것처럼 하나님은 다윗이란 아들을 이스라엘 심장에 심었어요. 다윗이여, 당신은 꽃을 피우고 창대한 나무로 클 것이오! 다윗, 당신이야말로 당신 가슴에 단창을 겨누는 사울과는 다릅지요.

다윗 조용히 해요! 사울 왕이 이쪽으로 오고 계시오.

목동 1 그럼 난 이만 우물로 내려가렵니다.

(*목동 1은 층계를 내려간다. 사울이 아드리엘과 함께 온다.*)

다윗 하나님이 왕과 함께 하시기를!

사울 내 아들 다윗이 아니냐! 그래, 내가 내 딸 메랍을 여기 이 므홀랏 사람 아드리엘에게 시집보낸 얘기를 들었느뇨?

다윗 네, 사울 왕이여! 왕께서 기꺼이 하신 일이라고 들었습니다. 영원토록 하나님께서 왕의 가문에 축복을 내리시기를 빕니다!

사울　내가 자네에게 메랍을 주겠다고 약속했었지? 그런데 하인들 말로는 미갈이 다윗한테 마음을 두고 있다고들 하던데. 대답해보게. 자네 눈에도 미갈이 좋은가?

다윗　오 왕이시여, 저도 미갈이 좋습니다!

사울　달이 바뀌고 초승달이 뜰 때, 그날에 자네는 미갈과 결혼해서 나의 사위가 되어 주게.

다윗　왕의 종으로서 오직 왕을 섬기겠습니다!

사울　그렇지. 자네는 나를 섬기고 달이 바뀌는 새 달에 결혼하게.

다윗　네, 왕의 명대로 따르겠습니다.

사울　그럼 됐다!

(*사울과 아드리엘은 퇴장한다.*)

목동 1　(*우물 계단을 올라오면서*) 자, 이제 다윗은 이스라엘의 가장 부유한 자로 약속받았습니다!

다윗　입조심하고 조용히 해요!

목동 1　조용히 하라니! 이건 전쟁을 뜻하는 거요!

다윗　어째서 그렇소?

목동 1　미갈을 아내로 삼으면, 그건 전쟁이오. 미갈을 아내로 삼지 못하면 그건 더 큰 전쟁이오. 그래도 조용히 하라는 겁니까?

처녀들　(*뛰어오면서*) 다윗 님, 사울 왕이 아드리엘과 함께 가셨나요?

목동 1　네, 그분들이 이곳을 지나갔어요. 염소가 똥을 싸면서 가듯 약속을 뚝뚝 떨어트리며 갔습니다.

다윗 조용히 해요, 이 사람 참!

처녀들 아드리엘 거처에서 메랍이 왕을 위해 식사 준비를 하고 있어요. 오, 다윗 님, 미갈 보고 물동이 들고 우물가로 오라고 할까요?

목동 1 네, 어서 오라고 해주세요! 내 가축들에게는 나중에 주어도 됩니다. 사람들 오는 소리가 들리는데요.

(*목동 1은 퇴장한다.*)

다윗 (*처녀에게*) 빨리 가서 미갈을 오라고 해주세요.

(*처녀는 퇴장한다.*)

다윗 (*혼잣말로*) 주여, 주님이 미갈을 저에게 보내주십니까? 사울의 딸 미갈은 제 마음을 흔드는 여인입니다. 나의 구원의 주님, 나는 이 여자를 하나님 다음으로 원합니다. 내 몸은 주사위를 겨눈 팽팽한 활과 같습니다. 주여, 나의 활이 이 여자를 내 목표물로 삼아 꼭 맞추게 해 주옵소서. 주님은 나를 천둥 같은 욕망으로 채우십니다. 주님의 번개는 나의 국부를 때리고 내 가슴은 그녀에게 기대는 구름과 같습니다. 주여! 주여! 주님의 왼손은 그녀의 허리를 붙잡고 주님의 오른손은 내 생명을 붙잡고 계십니다. 주님은 그렇게 우리 두 사람을 주님의 비밀의 본체에 붙드시고 우리 두 사람의 몸속에 주님을 채우기를 원하십니다. 위대한 소망의 주님이시여, 나는 이 여자를 놓치고 싶지 않습니다!

미갈 (*손수건으로 목과 턱을 가리고 들어오면서*) 내 물동이에 물을 채우려는데 지나가도 될까요, 낯선 이여?

다윗 어서 와요, 미갈. 내가 물을 채워드릴게요.

(*그녀는 앞으로 다가온다. 다윗은 주전자를 받아서 계단을 내려간다. 채운 물동이를 들고 돌아와서 주전자를 발 앞에 내려놓는다.*)

미갈 오, 다윗, 아직도 죽지 않고 살아있군요.

다윗 주님이 원치 않으시면 누구도 나를 죽일 수 없어요. 당신은 언니 없이 집에서 혼자 지내자니 심심하겠어요.

미갈 메랍을 잃어서 가슴이 쓰린 모양이네요. 언니는 마음이 착해서 당신을 생각하고 한숨지었어요. 그렇지만 결국 아버지한테 복종할 수밖에 없었지요.

다윗 다윗보다 물질적으로 훨씬 풍요한 남자를 얻었는데 잘된 것 아닌가요? 언니를 위해서 기쁘게 생각합니다.

미갈 그렇다면 다행이군요.

다윗 오, 미갈, 멀리서 당신이 오는 것을 보고 내 마음이 앞서 달려갔어요. 마치 제자리를 찾아가기에 열중한 사람처럼 말입니다. 당신을 보고 있으면 내 심장이 뛰어오른답니다. 부디 나를 거부하지 말아 주십시오.

미갈 우리 아버지가 이곳을 지나가면서 댁한테 뭐라고 하셨나요?

다윗 네. 달이 바뀌고 초승달이 서쪽에 보이면 그날 나를 사위로 삼겠다고 하셨어요.

미갈 그런 일이 있었군요. 그래서 왕의 사위가 될 생각을 하니 심장이 뛰어오른다고요?

다윗 그 여자가 미갈이라면 바람에 펼쳐지는 배의 돛처럼 내 몸은 솟아오릅니다.

미갈 아니오. 당신은 명예를 추구하는 사람이어요. 당신은 메랍 언니도 똑같이 좋아했을 텐데요.

다윗 아— 아니오! 그건 아닙니다! 메랍은 부드럽고 선량하고 친절해서 남자라면 누구나 여자에게 갖는 그런 편안한 마음을 갖게 하는 아가씨입니다. 그러나 미갈, 당신은 산 위의 나무들을 환하게 비추는 달과 같아요. 오, 우리는 주님의 언덕에 있는 한 쌍이어요. 주님은 분명 우리 두 사람을 도와 주실 겁니다.

미갈 만약 하나님이 당신에게 미갈은 아니다 하시면 어떻게 할 건가요?

다윗 하나님은 저를 거절하지 않으십니다. 하나님은 그분의 왼손에는 당신의 생명줄을 오른손에는 나의 생명줄을 붙잡고 계십니다. 주님은 소망 속에서 우리 두 사람을 합쳐주시고 나는 하나님이 이끄시는 대로 따라 당신에게 갈 것입니다.

미갈 그렇지만 하나님이 안 된다고 하시면 당신은 또 메랍 언니처럼 나를 그냥 놓아 보내겠지요.

다윗 당신은 나의 주 하나님을 몰라서 그래요. 하나님이 지피신 불을 하나님이 꺼버리지 않으십니다. 하나님은 이랬다 저랬다 하는 분이 아닙니다. 나의 하나님은 활기 넘치는 멋진 삶을 사랑하시고 우리의 소망이 채워지기를 갈망하는 분이십니다. 하나님은 불꽃같은 광채로 빛을 발하는 모든 것을 사랑합니다. 그래서 그분은 당신을 사랑합니다. 미갈, 내 앞에 있는 당신! 당신은 나무처럼 빛나기 때문에 하나님이 당신을 사랑합니다. 오, 당신은 꽃과 열매가 함께 맺힌 신선한 석류나무라오. 하나님은 영원히 빛나는 순수한 불꽃이십니다. 미갈, 당신은 주님의 불꽃으로 점화되었으니, 그분은 당신을 떠나보내지 않을 것이오.

미갈 그렇다고 주님 자신이 나하고 결혼하지는 않을 것 아니어요.

다윗 내가 당신과 결혼합니다. 왜냐하면 주님은 당신을 향한 내 마음에 불꽃을 당겨주셨으니까요. 그리고 말씀하셨어요. 너는 저 여자에게로 가라. 석류나무 열매가 익었느니라.

미갈 당신은 주님을 빼고 당신 자신을 위해서 나를 원하지는 않을 건가요?

다윗 물론 나 자신을 위해서지요. 나 자신을 위해서, 그리고 내 안에 거하시는 주님을 위해서지요.

미갈 나와 당신 사이에 주님을 끝없이 끼어 놓는군요.

다윗 바람결에 배의 돛이 불룩해지듯 당신은 주님 손에 밀려 내가 있는 곳으로 항해하는 배와 같아요.

미갈 오, 다윗, 어서 속히 새 달이 왔으면 좋겠어요! 난 아버지가 우리 사이를 방해하지 않을까 두렵고, 아버지를 의심하게 돼요.

다윗 메랍 언니한테 한 것처럼 다른 남자에게 당신을 보내 버릴까 봐 걱정돼서 그러세요?

미갈 다윗, 당신이 노래를 하나 지어요. 미갈은 다윗의 아내가 될 것임을 왕이 약속했고, 다윗 외에 누구도 미갈을 넘보지 못한다는 노래를 지어서 온 이스라엘 백성 앞에서 부르세요.

다윗 그렇게 할게요! 내가 노래를 하나 지을게요. 난 당신을 다른 곳으로 절대 보내지 못하게 하겠소. 당신은 나의 아내로 내게 올 것이고 나는 당신을 알게 될 것이오. 그래요, 주님이 내 안에 살아계시듯, 당신은 내 품에 안길 것이오!

미갈 주님이 살아계시듯, 초승달이 뜨기 전에 나의 아버지일지라도 나를 억지로 다른 남자에게 보내지 못합니다!

다윗 그래요! 오 미갈! 다윗의 아내여, 당신은 나의 처소에서 나와 함께 잠들 것이오! 나는 미갈의 이름을 다윗의 미갈로 바꾸겠소. 비 온 후 갠 날 아침 샤론의 장미처럼 아름다운 그 이름, 미갈을 병사들이 승리의 환호로 외칠 것입니다. 그래서 그녀는 이스라엘 온 땅에 다윗의 미갈, 하나님의 꽃, 다윗의 곁을 지켜주는 여자로, 온 이스라엘 앞에 알려질 것이오.

미갈 백성들은 나를 당신에게서 떼어놓지 못할 거예요. 저기 사람들이 이리로 오고 있어요.

다윗 벌써 떠나려고요?

미갈 내 친구들을 부를게요. 이봐, 얘들아, 여기 봐라! 이쪽으로 오너라.

(*미갈은 그녀의 손수건을 흔든다.*)

목동 1 (*들어오면서*) 사울의 두 장수들이 왕이 계신 므홀랏 처소를 떠나 이쪽으로 오고 있어요.

미갈 그래요. 올 테면 오라고 해요. 뭐라고 하는지 들어볼게요.

목동 2 살구나무 들판에서 풀 뜯던 가축들이 곧 이곳 우물가로 몰려올 겁니다.

다윗 사울의 장수들이 하는 말을 두 마디만 들어보면 왕의 마음을 읽을 수 있을 거요.

(*미갈의 처녀 친구들이 뛰어 들어온다.*)

처녀들 오 미갈, 남자들이 이쪽으로 오고 있어.

미갈 어서 내려가서 물동이를 채우자. 다윗은 나무 밑에 앉아 있으니까.

처녀 1 오, 미갈 네 눈이 밤하늘 별처럼 반짝인다!

처녀 2 그래. 새벽이슬처럼 초롱초롱하구나. 너 아무래도 무슨 달콤한 소리를 들은 거 아니야?

처녀 3 말해 봐! 오아시스의 대추야자 같은 달콤한 목소리로 노래하는 다윗이 아무래도 미갈에게 무슨 말을 했나 봐. 어서 말해 봐. 우리도 들어보자.

(*미갈과 처녀들은 층계 아래로 내려가고, 장수 두 명이 등장한다.*)

장수 1 다윗이 아직도 우물가에 있소?

다윗 (*나무 밑에서*) 그렇소. 나 여기 있소. 험한 전쟁을 치른 후 우물가에서 쉬는 시간을 보낼 수 있다는 건 복된 일이오.

장수 2 우리와 함께 가시지요. 사울 왕의 전갈을 들려주겠소.

다윗 그 전갈을 여기서 말해 보시오. 난 당신들과 가는 방향이 다르니까.

장수 1 왕은 이스라엘에서 누구보다도 다윗을 가장 기뻐하십니다. 이 땅에서 누구도 다윗만큼 적을 물리친 장수가 없었으니까요.

다윗 그런가요?

장수 1 네! 달이 바뀌고 초승달이 뜨면 그대는 미갈과 맺어져서 사울 왕의 사위가 됩니다.

다윗 그것이 주님의 뜻이고 또 왕의 뜻이면 받아들이겠습니다. 조금 전에 왕은 당신이 전한 똑같은 말을 내게 하셨어요. 그런데 난 가난한 사람이오. 왕이 어떻게 가진 것 없는 그런 자를 사위로 맞고 싶어 하시겠습니까?

장수 2 사울 왕도 그 점을 고려하고 계십니다. 그래서 다윗에게 전하라고 하셨어요. 왕은 어떤 지참금도, 양도, 소도, 나귀도, 어떤 물건도 바라지 않는다고 하셨어요. 오직 왕께서 요구하는 것은 백 명의 블레셋 사람 양피입니다. 적군 백 명을 죽이고 이들의 양피를 가져오면 그것으로 만족한다고 하셨습니다.

장수 1 새 달이 바뀌기 전에, 신부와 첫날밤을 보내기 전에, 다윗이 블레셋 사람 백 명의 양피를 왕 앞에 가져오는 조건을 충족시키면 사울의 딸은 다윗의 신부가 될 수 있다고 하셨습니다.

장수 2 그렇게 이스라엘의 적을 복수해 달라는 것이지요.

다윗 왕은 진정 당신들이 말하는 그 전갈을 내게 보내셨습니까?

장수 1 네, 왕은 반지와 함께 전갈을 보냈습니다. 보십시오. 여기 사울 왕의 반지가 있습니다. 이 문제에 대한 다윗과 왕 사이의 서약의 표시로 왕이 보낸 반지입니다. 그래서 다윗이 돌아와서 블레셋 사람들의 양피와 함께 반지를 왕께 돌려드리면 됩니다.

다윗 좋소! 그럼 난 즉시 출발하겠소. 병사들을 불러 블레셋을 치러 가겠소. 달빛 없는 밤에 블레셋을 쳐서 전리품을 획득하고 돌아올 것이오.

(*다윗은 퇴장한다.*)

장수 2 다윗은 이제 왕의 공적 임무를 수행하기 위해 떠났소.

장수 1 왕이 원하는 뜻에 다윗이 부응하도록 처리하시오.

(*두 장수는 퇴장한다.*)

목동 1　　(*우물가의 층계를 올라오면서*) 그러면 그렇지. 난 왕이 원하는 게 무언지 알지. 블레셋 사람들 칼로 다윗을 죽이고 싶은 것이야. 다윗이 죽으면 망자와의 약속을 지킬 자가 어디 있겠는가!

(*미갈과 처녀들이 층계에서 올라온다.*)

목동 1　　미갈 아가씨, 저들이 하는 소리를 들었어요? 다윗은 블레셋 사람들과 싸우러 갔어요. 왕이 당신과의 결혼 지참금으로 다윗에게 적군 백 명의 양피를 요구했습니다. 이건 터무니없이 비싼 지참금이 아닙니까?

미갈　　네, 그래요. 우리 아버지가 이런 일을 하셨군요!

목동 1　　아, 그런 요구를 왕이 하다니! 죽은 자가 왕의 딸과 결혼할 수 없지요. 어느 블레셋 사람의 투창에 다윗은 쓰러질 것이오. 당신 아버지는 딸을 참으로 비싸게도 내놓으셨구려!

미갈　　아니지요. 아버지가 딸의 이름을 온 이스라엘 땅에 싸구려로 만드는 겁니다.

목동 2　　(*들어오면서*) 처녀들, 어서어서 자리를 피하시오! 목마른 가축 떼가 이리로 몰려오고 있어요!

처녀들　　(*물동이를 어깨에 올리면서*) 어서 가자! 어서 가자!

(*모두들 퇴장한다.*)

열세 번째 장면

(길갈에 있는 다윗 집의 한 방. 아직 날이 밝지 않은 어둑어둑한 때에 다윗은 혼자 작은 소리로 기도하고 있다.)

다윗 오, 주님, 내가 하는 말에 귀를 기울여주시고 내 생각을 통찰해 주옵소서. 나의 부르짖는 기도에 귀를 열어주소서. 나의 왕, 나의 하나님께 기도합니다. 내 음성을 주님은 들으십니다. 오, 주님 새벽에 주님께 기도드리고 하늘을 우러러 주님을 찾습니다. 주님은 사악한 일을 좋아하는 분이 아니십니다. 악은 주님과 함께 거하지 않습니다. 어리석은 자는 하나님의 눈앞에 서지 못할 것이고, 주님은 불공정한 모든 것을 미워하십니다. 주님은 거짓말하는 자를 징계하고 남을 속이는 간악한 자를 아주 싫어하십니다. 그러나 저는 주님의 한량없으신 자비로 하나님의 집에 들어갈 것입니다. 주님을 두려워하는 마음으로 성스러운 주님의 성전을 향해 예배할 것입니다. 오, 주님, 주님의 정의로 나를 인도해 주셔서 나의 적들을 막아주옵소서. 나의 얼굴 앞에 주님의 올바른 길을 보여주옵소서. 저들의 입에는 신의가 없고, 저들의 마음은 사악합니다. 아첨으로 혀를 놀리는 저들의 목구멍은 열린 무덤입니다. 저들을 멸하여 주옵소서. 오, 하나님, 저들이 저들 술수로 무너지게 하시고 수많은 범죄를 저지르는 저 악마들을 모조리 내쫓아 주옵소서. 저들은 주님을 대적하고 싸워왔습니다. 그러나 주님을 믿고 의지한 자들이 주님을 기뻐하게 하시며, 주님께서 악한 자들을 물리치고 막아주심으로 기쁨을 맛보는 이들에게 주님의 이름이 영원토록 함께 하게 하옵소서. 주님은 의로운 자들을 축복하십니다. 주님의 은혜가 의로운 자들을 방패처럼 두르시나이다.

(*다윗은 잠시 기도를 멈춘다.*)

오, 주님, 나는 주님의 기름 부음을 받은 자요, 주님의 아들입니다. 내 머리에 부어주신 기름으로 주님께서 나를 낳으셨습니다. 오, 나는 두 번 태어났습니다. 이새의 아들로, 그리고 하나님의 아들로 태어났습니다. 나는 이제 하나님의 아들로 전진하고, 주님과 동행하며 나아갑니다. 그러나 이 일로 저들이 나를 미워하고 사울 왕은 나의 파멸의 길을 노리고 있습니다. 그의 손에서 벗어나려면 내가 어찌해야 합니까, 나의 하나님이시여!

(*미갈이 커튼 한쪽을 통해 쟁반과 램프를 들고 들어온다.*)

미갈 날이 곧 밝을 텐데, 이 긴 밤샘에 지쳐서 쓰러질까 걱정됩니다. 왜 따듯한 침상을 떠나서 새벽 차가운 허공에 대고 말을 하는 겁니까? 이 음식을 좀 드세요.

다윗 지금은 먹을 수가 없어요.

미갈 어디 아픈 거예요? 병이 났나요?

다윗 그렇소. 내 영혼에 병이 들었소.

미갈 무슨 일로요?

다윗 당신도 아는 병이오. 당신 부친이 나를 극단적으로 미워하고 있지 않소.

미갈 그렇지만 당신을 사랑하는 내가 여기 있잖아요.

다윗 (*그녀의 손을 잡으면서*) 알고 있소!

미갈 내가 당신 아내이고 내가 당신을 사랑하는데, 그런 건 아무 도움도 되지 않고 아무 의미가 없나요?

다윗 절대로 그렇지 않소. 그러나 미갈, 결국 나에게 어떤 일이 일어날 것 같은 예감이 들어요. 날이면 날마다, 달이면 달마다 나에 대한 왕의 증오심이 점점 심해지고 점점 굳어지고 있어요. 결국에는 내가 목숨을 잃게 될 것이고, 그리되면 이 다윗이 당신에게 무슨 의미가 있겠소?

미갈 그런 일은 결코 없어요! 절대로 그런 일은 일어나지 않아요! 내가 당신이 죽게 내버려 두지 않을 겁니다. 절대로! 절대로 내가 과부가 되어 당신 앞에 내 머리를 자르는 일은 없을 것입니다! 그런 일은 결코 없을 것이고, 당신이 만약 사라진다면 그건 죽음으로 사라지는 게 아닙니다.

다윗 그렇지만, 죽음이 내 가까이 있소. 내가 당신을 아내로 맞이하기 위해 블레셋 사람 양피를 가져온 이래로 달이 바뀌고 새 달이 와도 나에 대한 왕의 증오심은 누그러지는 게 아니라 더욱 심해지고 있어요. 미갈이 다윗을 사랑하면 할수록 왕의 증오는 더욱 굳어져 가오. 요나단이 나를 사랑하니, 왕은 요나단에게 다윗을 보는 즉시 그 자리에서 죽이라고 명합니다.

미갈 나의 아버지는 이제는 사람이 아니어요. 완전히 악령에 사로잡혀 있어요. 그러할지라도 요나단이 모든 어려움을 물리치고 당신을 구해줄 겁니다.

다윗 주님이 날 구해 줄 것이오. 요나단은 내게 내 심장처럼 소중한 사람이오.

미갈 오, 나의 남편이여, 생각해 보세요. 아버지가 당신을 증오하면 아버지의 아들과 딸인 요나단과 미갈이 어떻게 당신을 사랑할 수 있겠어요?

다윗 그것도 맞는 말이오. 두 사람은 내게는 하늘에 펼쳐진 무지개 같은 사람들이오. 그러나 오 미갈, 이 일을 우리가 어떻게 이겨 낼 수 있겠소? 난 지금까지 사울 왕을 사랑했소. 내 마음속에 그에 대한 증오심은 조금도 없어요. 오직 나에 대한 그의 그치지 않는 분노가 나를 힘들게 하고 지치게 하니 내 살과 뼈가 다 녹아내립니다.

미갈 그런데 왜 그렇게 힘들어해야만 하나요? 왜요? 왜 아버지가 당신에게 문제가 됩니까? 내가 변함없이 당신을 사랑하고, 요나단이 당신을 사랑하고, 당신 부하들이 당신을 사랑하는데, 어째서 미치광이 한 사람의 증오심 때문에 괴로워해야 합니까? 왜요? 나로선 이해가 안 돼요. 왜지요?

다윗 그건 그가 사울이기 때문이오. 하나님의 기름 부음 받은 자이기 때문이고, 그리고 그는 이스라엘 온 땅의 왕이오.

미갈 그래서 그게 어쨌다는 겁니까? 사울은 지금 이 세상 사람이 아니어요. 악령에 사로잡힌 광인이어요. 왜 그런 사람한테 신경을 씁니까? 왜 그런 사람 때문에 한밤에 일어나서 괴로워하는 겁니까?

다윗 그는 하나님의 기름 부음 받은 자이고, 언젠가는 그가 나를 죽일 것이기 때문이오.

미갈 절대로 아버지는 당신을 죽이지 못해요. 당신 입으로 주님이 당신을 보호해 준다고 하지 않았어요? 만약 주님이 당신을 지켜주지 못한다면 내가 아버지를 막아낼 것입니다. 이 미갈이 아직은 길갈에서 무력한 자가 아니어요. 요나단도 아버지를 막아설 것이고 장수들도 막아설 겁니다. 그리고 당신 역시 하나님의 기름 부음 받은 자가 아니던가요? 당신네 유다 땅 시온의 언덕 위에 주님이 당신을 왕으로 앉히려고 하지 않겠습니까?

다윗 오, 미갈! 미갈! 주님의 기름 부음 받은 자가 주님의 기름 부음 받은 또 다른 자를 쳐야 한단 말이오? 내가 무슨 일을 할 수 있겠소? 사울은 주님의 것이오. 그리고 나는 사울 안에 있는 나의 적을 보지 못할지 몰라요. 나로선 증명할 길이 없지만, 어쨌든 사울은 계속 날 죽이려 합니다. 그가 당신을 내게 허락하고, 지참금으로 블레셋 사람들의 양피를 가져온 후부터 몇 달 동안 사울은 나를 더욱더 미워하고 내 목숨을 노리고 있어요. 우리가 결혼하기로 한 그 달이 저물기도 전에 당신 부친은 부하들을 시켜서, 또 요나단까지 시켜서 다윗을 찾는 즉시 그 자리에서 죽이라는 명을 내렸소. 요나단이 한밤중 급하게 내게 달려와서 나를 멀리 떨어진 숲 속에 비밀리에 숨겼어요. 그래서 우리가 결혼하고 나서 한 달이 채 지나기도 전에 난 당신을 차가운 밤에 홀로 놓아두고 도망해야만 했소.

미갈 그렇지만 그때는 오래가지 않았지요. 그렇게 오래 떨어져 있지는 않았어요. 요나단이 아버지를 설득해서 당신을 다시 받아들였고 아버지는 다시 당신을 사랑했지요.

다윗 그 말은 맞소. 사울은 나를 사랑합니다! 그러나 그가 다시 깊은 증오의 늪에 빠져 가장 가까이 있는 사람조차 수렁으로 함께 끌고 들어갑니다.

미갈 그렇지만 아버지는 맹세했잖아요. 주님이 사시는 한 다윗을 절대로 죽이지 않겠다고요.

다윗 그렇소. 그렇게 맹세했지. 그러나 그 맹세는 두 달도 채우지 못하고 그의 얼굴이 다시 흙빛이 되었소. 전쟁은 계속 일어났고 블레셋 왕들과 난 싸우고 또 싸우고 또 싸웠소. 끊이지 않는 전투에서 우리가 승리할 때마다 백성들은 환호했고, 그때마다 사울의 얼굴은 증오심에 불타 점점 더 시커멓게 변해 갔소! 주님의 기름 부음 받은 자로서 주님의 기름 부음 받은 자를 사랑하는 것이 마땅하듯, 사울 왕이 나를 사랑한 건 맞아요. 그러나 사울은 하나님과 멀어지면서 절망의 늪으로 점점 깊이 빠져들어 갔소. 그럴 때면 그는 늪에서 벗어나려고 허우적대지만, 점점 더 미끄러져 내려갈 뿐이었소. 나에 대한 그의 사랑은 그에게 아무 도움이 되지 못하오. 그를 짓누르는 증오심의 무게만 무겁게 그를 수렁으로 끌어내립니다. 난 그를 미워할 수가 없어요. 그렇다고 사랑할 수도 없지만 — 그러나, 오 미갈, 사울에 대한 공포심이 내 마음을 짓누릅니다.

미갈 제발 아버지를 생각하지 마세요. 아버지에 대한 신경을 끊으세요. 아버지를 마음에 두지 마세요.

다윗 그해 전쟁이 끝날 무렵 또 한 차례 블레셋과 싸웠는데 그때도 우리가 주님의 은혜로 승리했어요. 그러자 군사들이 다시 내 이름을 큰소리로 외쳤소. 그리고 내가 당신 곁으로 돌아왔는데 — 당신이 내 품에서 노래 부르고, 나 또한 당신 품에 안겨 노래하는데 — 그런데, 그 순간 한 마리의 작은 새 위로 솔개의 그림자가 드리우는 것이었소. 내 심장은 이내 사울의 그림자로 휩싸였소. 당신의 가슴에 얼굴을 묻고 있는 내 심장이 멈추는 듯, 나는 부르고 싶은 노래를 부를 수가 없었소. 사울의 그림자가 내 가슴을 에워싸는 것이었소.

미갈 오, 왜 그런 걸 걱정하고 신경을 씁니까? 나만 사랑하고 모든 걱정 근심은 다 잊어버리세요. 왜 그렇게 못합니까?

다윗 내 마음이 그렇게 안 되는구려. 당신의 사랑은 내게 생기를 주는데, 그런 싱싱한 생명력이 내 몸 한가운데서 솟아오르는 때조차 사울이 그의 단창을 내게 또 던집니다. 그렇소. 전승의 축제가 한창 무르익은 때도 그랬소. 모든 군사 가운데 서 있는 다윗이 그의 과녁이었소. 언제라도 길모퉁이 어디서라도 그의 부하들이 나를 죽일지 모르오. 그래서, 미갈, 난 아무래도 집을 떠나 있어야 할 것 같소. 마지막이 가까워지는 게 느껴져요.

미갈 무슨 마지막이오? 어떤 마지막이 가까워졌다는 거예요?

다윗 난 아무래도 집을 떠나 있어야 할 것 같소. 광야에 들어가 있을 것이오.

미갈 (*흐느끼며*) 오, 괴로워요, 괴로워! 독수리가 어미 양에게서 어린 새끼를 빼앗아 가듯 나의 기쁨은 갈가리 찢기는군요. 이제 삶은 무기력해지고 우리의 신혼 침상에는 독뱀이 독을 품고 똬리를 틀고 있으니! 오, 내가 사랑하는 사람과 결혼하지 않았더라면 고통도 없고 차라리 좋았을 것을!

다윗 그런 소리 말아요. 제발 그런 말 하지 말아요! 당신과 나 사이에 고통은 없소. 나의 육체와 당신의 육체, 우리의 관계는 한없는 즐거움만 있을 뿐이라오! 제발 참아요! 당신은 내게 사랑을 일깨워주는 불꽃이고, 하나님의 임재를 알게 해주는 불꽃이오. 제발, 제발 나 때문에 울지 말아요. 당신은 내게 더없는 즐거움이요, 모든 슬픔과 어려움을 잊게 해주는 기쁨이오.

미갈 그렇지 않아요! 당신은 한밤에 내 곁을 떠나 주님 앞으로 가서 기도하며 애통해합니다. 오, 당신이 당신의 적의 딸과 결혼하지 않았더라면 좋았을 것을!

다윗 그런 말은 마시오. 그건 잘못된 생각이오.

미갈 그렇지 않아요! 당신은 고통 속에 신음하고, 주님 앞에 엎드리기 위해 한밤에 내 곁을 떠나지 않습니까!

다윗 그래요. 그러나 그건 힘든 문제에 시달리기 때문에 그 해답을 주님께 묻기 위함이오. 오, 미갈, 당신은 내게 모든 시름을 잊게 해주는 축복이오. 나의 불평을 기억하지 말고, 당신의 감미로운 백합 꽃밭에서 내가 잠들 수 있게 해주시오.

미갈 아버지 때문에 당신은 나를 비난하겠지요.

다윗 아니오! 절대 그렇지 않소! 결코 당신을 비난하지 않소. 이제 모든 것을 잊고 오직 당신만 생각하리다. 오, 이리 와요. 당신을 더 깊이 알게 해주오. 당신은 언제나 나를 새롭게 해주는 신비한 존재요.

(*다윗이 미갈의 손을 잡는다. 두 사람은 자리에서 일어난다.*)

미갈 내 곁을 또 떠나지 않을 건가요?

다윗 떠나지 않겠소. 이제 모든 고통과 시름을 잊고, 함께 잠자리에 듭시다. 말로 나누는 우리의 시간은 여기까지요.

(*다윗과 미갈은 커튼 뒤의 침실로 들어간다.*)

열네 번째 장면 (1)

(앞 장면과 같은 방. 한 시간 정도 지난 후. 날이 희미하게 밝아오는 새벽녘. 하녀가 들어온다.)

하녀 등잔불이 켜 있고 음식이 있는 걸 보니, 주인께서 지난밤도 철야기도로 밤샘을 하셨구나. 미갈 마님은 얼마나 가슴이 쓰리고 아플까. 어휴― 이 일을 어찌해야 하노! 사울 왕은 어찌하여 다윗을 그리도 미워하시는고? 고약한 악령이 사울 왕을 지배하고 움직이는 게 틀림없어.

소년 (*들어오면서*) 요나단 왕자께서 가만히 문을 두드리고 계십니다.

하녀 문을 열어드리고 너는 서둘러 올라오너라. 요나단 님이 너무 일찍 오셨구나. 주인과 마님이 아직 주무시는지 봐야겠다.

(하녀는 커튼을 통해 퇴장하고, 요나단은 방에 들어온다. 그는 조용히 깊은 생각에 잠겨 잠시 서 있다가 창문 쪽으로 걸어간다.)

요나단 (*창밖을 내다보며, 혼잣말로*) 곧 해가 뜰 텐데. 아, 이 집은 도성 성벽 위에 있고 앞에는 들판이 펼쳐있구나.

(하녀가 다시 등장한다.)

요나단　아직 두 사람이 자고 있나?

하녀　요나단 님! 목소리 좀 낮춰주세요. 두 분이 새벽녘에 잠이 들었어요. 다윗 님이 지난밤에도 밤샘 기도를 했으니까요. 지금은 마님과 평화롭게 잠들어 계십니다. 마님의 아픈 마음이 위로받고 회복될 수 있도록 두 분 사이에 아들이라도 생겼으면 좋겠어요.

요나단　미갈의 마음이 아플 수밖에 없겠지.

하녀　오, 남편에 대한 그녀의 사랑조차 편치를 않아요. 만약 하늘이 마님께 아들을 허락하시면 남편한테만 의지하던 사랑도 줄어들 것이고 아픈 가슴도 위로받겠지요.

요나단　남편이 옆에 있어도 즐거울 수가 없단 말이로군.

하녀　오, 왕자님, 마님이 사울 가문인데 마음이 편할 수가 없지요. 사울 왕의 딸이라서 고통을 받는 거지요. 머리 위로 지나가는 구름마다 미갈 마님께는 죽음이 다가오는 것처럼 보이니까요. 아, 사랑이란 그저 소리 없이 왔다가 소리 없이 가는 게 제일 좋아요. 언덕 위에 부는 바람처럼 말이지요. 해도 떴다 졌다, 졌다 떴다 하지 않습니까? 낮이 가면 밤이 오는 것처럼 말이어요.

요나단　두 사람 아직 잠들어 있나?

하녀　예. 신혼의 꿀맛 같은 잠일 것입니다. 음식 좀 갖다 드릴까요?

요나단　아니, 괜찮다. 저 소리가 들리는가? 저 멀리 서문 쪽에서 통행 문 열어달라고 소리치는 남자들 소리가 들리는데. 날이 밝아 오고 있어.

하녀 　이 집이 평안하기만을 기도합니다.

요나단 　좋지 않은 일이 생길 것 같은 예감이 드는군.

하녀 　아, 주인님이 나오시네요.

다윗 　(*커튼 뒤에서 나타나며*) 요나단, 자네 왔군!

요나단 　다윗, 이제 깨었나?

다윗 　(*계면쩍게 웃으면서*) 내가 깨어 있는 사람으로 보이지 않는 모양일세. 형제 요나단을 알아보는 걸로 보아, 내가 깨어 있는 게 맞겠지?

(*두 사람은 포옹한다.*)

요나단 　오, 다윗, 밤새 아버지 얼굴에 어둠이 드리웠네. 자네를 죽이라는 요구를 또 하시네. 누가 와도 문을 열어주지 말고, 감시하게! 도피할 준비도 하고! 무장한 병사들이 문가로 오면 그때는 창문으로 소년을 내려보내서 그 애를 즉시 나한테 보내게. 자네 부하들과 내 부하들을 불러 곧바로 올 테니까. 필요하면 사울의 군대를 막아서야 하지 않겠나.

(*미갈이 커튼 뒤에서 나온다.*)

미갈 　요나단 오빠, 무슨 새로운 일이라도 있어요?

요나단 　아버지가 부하들에게 다윗을 잡아 죽이라고 오늘 새벽에 또 명령하셨다. 내가 여기 온 사실이 알려지면 위험하니까, 사람들 눈에 띄기 전에 떠날게. 잘 있어, 다윗!

다윗 잘 가게, 나의 형제 요나단! 내가 내려가서 자네를 배웅하겠네.

(*요나단과 다윗은 퇴장한다.*)

미갈 그러면 그렇지! 내가 다윗하고 평화롭게 행복한 시간을 보내는 때에 맞춰 – 악령의 바람이 또 불어 닥치는구나! 아, 난 이제 지쳤어. 이놈의 악령 때문에 살고 싶지도 않다!

하녀 아이고, 아서라! 무슨 말씀을 그리하셔요! 미갈 마님, 마님의 앞날은 창창합니다.

미갈 이번에 저자들이 다윗을 데리고 가면 그를 정말 죽일 거야.

하녀 그런 끔찍한 말씀은 마셔요!

미갈 나는 안다. 이번에 가면 끝이다.

하녀 그게 사실이면 절대 끌려가선 안 되지요. 우리가 어떻게 하면 될까요?

미갈 너는 눈에 띄지 않게 몰래 지붕 위로 올라가라. 거기 그대로 엎드려서 무장한 병사들이 우리 집 쪽으로 다가오는지 지켜보아라.

(*다윗이 들어온다.*)

다윗 밖에 아무도 보이지 않는군.

미갈 해가 뜨는 대로 저들이 나타날 거예요. (*하녀에게*) 너는 어서 올라가 지켜보아라.

하녀 예, 알겠어요.

(*하녀는 퇴장한다.*)

미갈 오 다윗, 봄철 아몬드 나무에 꽃이 피듯 내 몸에 생기가 돌려는 때에 악령의 바람이 내 속의 꽃몽우리를 또 시들게 하는군요! 매번 고민 덩어리 단창이 내 몸을 찔러대니, 내가 무슨 수로 당신 아이를 가질 수 있겠어요!

다윗 나의 사랑하는 꽃이여, 염려 말아요. 어떤 바람도 당신을 시들게 하지 못하오.

미갈 다윗! 이번에 저자들 손에 잡히면 아무래도 위험하겠어요. 그렇게 되면 요나단도 당신을 구하지 못해요.

다윗 나 때문에 너무 겁내지 말아요.

미갈 두려워요. 난 두렵다고요! 이봐라, 애야! 거기 있느냐?

(*그녀가 손뼉을 치자 소년이 들어온다.*)

미갈 (*소년에게*) 가죽 병에 물을 채워서 가지고 오너라. 주인께서 멀리 여행을 떠나신다. 빵이 든 주머니도 가져오고 무화과 열매와 마른 치즈도 담아 오너라.

(*소년은 퇴장한다.*)

오, 다윗! 다윗! 외투를 입고 활과 창도 챙기세요. 어서 신발을 신어요. 이곳을 떠나야 해요. 이번에는 요나단도 도울 수 없어요.

다윗 참으로 내가 또 도망을 가야 하는가 보오.

미갈 여기를 피해야 합니다! 해가 뜨기 전에 떠나지 않으면 위험해요. 어서 준비하세요. 어서 신발을 신어요! 저들이 당신을 알아볼 수 없게 외투를 입으세요. 창과 활을 들어요.

(*다윗은 아내의 말에 따른다. 소년이 들어온다.*)

소년 여기 물병과 음식 주머니를 갖고 왔어요.

미갈 (*소년에게*) 문에서 무슨 소리가 나느냐?

소년 아무 소리도 나지 않는데요.

(*소년은 다윗의 몸에 음식 주머니와 물병 매는 것을 돕는다. 소년은 퇴장한다.*)

미갈 오, 다윗, 모두 준비되었나요? 이제 당신은 나를 떠나는군요!

다윗 난 내 집을 떠나야만 하는 게 안타깝소! 당신 마음을 편하게 해주기 위해서라도 떠나리다. 요나단이 알고 있는 비밀장소로 갈 것이니, 혹시 일이 생기면 그곳으로 기별해 주시오.

(*두 사람은 포옹한다. 하녀가 등장한다.*)

하녀 오, 마님! 오, 다윗 주인님! 무장한 병사들이 이쪽으로 오고 있는 게 보여요. 성벽 밑으로 몰래 다가오고 있어요. 어서 도망가셔야 해요. 서두르셔야겠어요. 어서요! 저들이 주인님 목숨을 노리고 있어요.

미갈 창문을 통해 들판으로 내려가세요. 이런 때를 위해 여기 밧줄을 준비해 두었어요. 해가 뜨기 전에 어서 떠나야 해요.

(*미갈은 밧줄의 한쪽 끝을 단단히 기둥에 묶고 다른 끝을 창문 아래로 던진다.*)

미갈 (*다윗에게*) 자, 어서 줄을 잡고 내려가세요! 어서요! 빨리 달아나셔요!

다윗 미갈, 우리 곧 다시 만나요. 주님이 살아계시는 한, 우리는 다시 만나서 한 몸이 될 것이오.

미갈 문 두드리는 소리가 들려요. 어서 서두르세요!

(*소년이 급히 들어온다.*)

소년 병사들이 문에 와 있어요!

미갈 가서 저들이 무얼 원하는지 물어봐라. 문을 열어주면 절대 안 된다.

(*다윗은 창문을 통해 단단히 묶인 밧줄을 잡고 내려간다.*)

하녀 (*두 손으로 줄을 잡으면서*) 그렇지, 잘하십니다, 다윗 주인님! 어랍쇼, 심술궂은 밧줄아, 벽에 부딪히지 말아라. 주인을 너무 흔들면 못 쓴다. 됐다! 드디어 주인님이 밧줄을 걷어차고 두 발로 땅을 딛으셨어! 하나님 찬양합니다! 손을 들어 위를 한 번 올려다보고 떠나시는구나!

미갈 가셨구나! 밧줄을 끌어올리고 안전하게 숨겨 놓아라.

하녀 예, 알았습니다.

(*그동안 미갈은 커튼을 옆으로 걷어두어, 침대의 낮은 쪽이 눈에 들어온다. 그녀는 방 한구석에 세워진 우상을 침대에 눕히고 머리에 염소 털을 둘러서 베개에 올려놓고 침대 커버로 우상을 덮어놓는다.*)

미갈 (*혼잣말로*) 내 집에 있는 우리 어머니의 신상을 내 남편 자리에 눕혀야지. 어머니 때부터 내려온 드라빔 신상이 저자들을 속이고 물리칠 것이다. 그렇다. 우리 집에 대대로 내려오는 신들이 나를 지켜주겠지?

(*소년이 들어온다.*)

소년 병사들이 문 열어주기를 강력히 요구합니다. 다윗 주인님을 왕 앞에 모시고 오라는 명을 왕으로부터 받았다고 합니다.

미갈	다윗 주인께서 편찮으셔서 누워 계신다고 일러라.
소년	예, 알겠습니다.

(*소년은 퇴장한다.*)

하녀	마님께서는 침대 옆에 앉아 계셔요. 저들이 올라오면 남편이 주무신다고 하세요.
미갈	그래, 그러자.

(*그녀는 침대 옆에 앉는다.*)

오, 내 집의 신이여, 내 어머니 집안의 신이여, 다윗 침상에 누워있는 신이여, 지금 나를 구해주소서!

(*소년이 들어온다.*)

소년	병사들이 주인님을 만나야겠다고 합니다.
미갈	잠깐! 저들에게 장수 두 명만 조용히 올라오라고 일러라. 다윗 님께서 사흘 동안 앓고 계시다가 오늘 새벽에야 잠이 드셨다고 해라.
소년	예, 알겠습니다.

(*소년은 퇴장한다.*)

하녀 나도 내려가서 저들을 조용히 하라고 이르겠어요.

(*하녀는 퇴장하고, 미갈 혼자 말없이 앉아 있다. 잠시 후 두 명의 장수가 하녀의 안내를 받고 따라 들어온다.*)

하녀 주인님이 저기 누워 계십니다.

미갈 조용히들 하세요. 주무십니다.

장수 1 왕께 가서 본 대로 전하겠소.

(*침상을 둘러본 두 장수는 퇴장한다. 무대 막이 잠시 내렸다가 다시 올라간다.*)

열네 번째 장면 (2)

하녀 (*급히 들어오면서*) 저자들이 또 나타났어요. 지금 길모퉁이를 돌아 이쪽으로 오고 있어요. 이번에는 기세등등한 태도로 오네요.

미갈 오냐, 올 테면 오라고 해라! 지금쯤은 다윗이 비밀장소에 도착했을 터이니, 그들이 온다 해도 그를 붙잡을 수는 없지.

하녀 오, 마님께 무슨 일이 일어나면 어쩌지요?

미갈 난 왕의 딸이다. 사울 왕도 내게는 손을 못 댄다. 저들이 오면, 할 수 있는 한 문밖에 붙들어 놓고 집에 들이는 시간을 최대한 늦춰라. 우리가 왜 저자들 말을 듣고 즉시 따라야 하느냐? 마님이 목욕 중이라고 해라.

하녀 예, 그렇게 이르겠습니다.

(*하녀는 퇴장한다.*)

미갈 (*혼잣말로*) 침대 커버를 이제 벗겨야 하나? 저자들이 집안을 샅샅이 뒤지겠지. 아니다, 침구는 그냥 놓아둘 테다. 저들이 어떻게 속았는지 스스로 확인하겠지. 오, 드라빔, 내 집의 신이여, 저자들을 훼방하고 나를 도와주소서. 오, 나의 드라빔, 나를 지켜주소서.

(*아래층에서 문 두드리는 소리가 요란하게 들린다.*)

하녀 목소리 누구시오? 누가 문을 두드리는 거요?

장수 목소리 문 열어라. 왕의 명으로 왔다.

하녀 목소리 환자가 누워있는 집에 무슨 볼 일이 있습니까?

장수 목소리 문 열어라. 곧 알게 된다.

하녀 목소리 미갈 마님의 허락 없이는 열어줄 수 없어요.

장수 목소리 그럼 어서 허락을 받아라.

하녀 목소리 큰소리치는 자여, 당신은 분명 아까 왔던 장수가 아닌가요? 우리 주인이 누워 계신 걸 보고 갔잖아요. 마님은 지금 목욕 중이라서 당장은 문을 열어 줄 수 없어요.

장수 목소리 문을 열어주지 않으면 대가를 치를 것이다.

하녀 목소리 이보시오, 나의 마님은 왕의 딸이오. 나는 마님의 명령을 따라야 하는 것 아니오? 오 장수여, 장수의 명령과 마님의 명령 사이에 끼어 공포에 떨고 있는 이 하녀를 혼내시렵니까?

장수 목소리 그래, 공포 사이에 끼어 떨어라. 아무튼 문을 열어라. 안 열면 우리가 부수고 들어갈 것이다.

하녀 목소리 마님이 발가벗고 목욕 중이라는데 문을 부숴서라도 들어오겠다는 이 무례한 심사는 대체 뭐요?

장수 목소리 우리는 왕의 명령을 따를 뿐이다.

하녀 목소리 어떻게 그럴 수 있어요? 마님이 알몸으로 목욕 중이라도 문을 부수고 들어가라고 왕이 그렇게 명령하셨단 말입니까?

장수 목소리 왕께서는 다윗이 누운 침상 채 들고 오라고 명하셨다.

하녀 목소리 이런 상스러운 경우가 다 있나! 다리도 긴 왕이 예까지 직접 걸어오실 수는 없단 말이오? 누구를 시켜서 왕을 모셔오도록 하세요. 제발 장수님, 그렇게 해주세요. 왕께서 친히 오시기를 따님이 원한다고 전해 주세요.

장수 목소리 왕께 전갈을 보낼 터이니, 문을 어서 열라. 손안에 든 새를 내가 놓치면 안 되지.

하녀 목소리 장수여, 나의 주인이 한 마리의 새요? 주인님이 어린 독수리라도 된다면 날개를 펼칠 것이외다!

장수 목소리 난 다윗을 그렇게 부르지 않았다.

하녀 목소리 오, 다윗 님을 새라고 부르는 장수여, 당신한테 무슨 벼락이 떨어질지 두렵지도 않으시오? 오, 이스라엘아, 귀를 열고 들어라!

장수 목소리 어서 문을 열어라!

하녀 목소리 당신이 새라고 부르는 나의 주인을 어찌하시려는 겁니까? 오, 주님, 누구든 다윗 님을 한 마리 새라 부르는 행위를 금해 주소서!

장수 목소리 이봐라, 우리는 다윗이 침상에 누워있어도, 침상 채라도 들고 왕 앞에 가야만 한다.

하녀 목소리 그게 무슨 소리요? 왕이 강력한 주술로 다윗을 치료해 주신다는 겁니까? 아니면 침상에 누워 곤경에 처한 다윗의 모습을 만인 앞에 구경시키려는 거요? 참으로 해괴망측한 광경이겠군요!

장수 목소리 난 말할 수 없고, 더 오래 지체할 수 없다.

미갈 (*아래층을 향하여*) 얘야, 이제 문을 열어주고 들어오라고 해라.

하녀 목소리 오, 마님이 문을 열어주라는 분부십니다. 예, 마님, 문을 열어 주겠어요. 누가 감히 왕의 따님에게 곁눈질을 하리오?

(*하녀를 따라 장수가 문 안으로 들어오고 병사들도 뒤따라 방에 들어온다.*)

장수 목소리 다윗께서 아직도 누워있느냐? 일어날 수 없으면 침대에 누운 채 우리가 왕께 들고 갈 것이다.

(*미갈이 들어온다.*)

미갈 이게 다 무슨 소란이오?

장수 다윗께서 아직 잠들어 있습니까?

병사 1 침대를 흔들어 깨우지요.

병사 2 (*침대를 흔들면서*) 조금도 요동이 없는데요.

장수 (*미갈에게*) 다윗 님을 깨워 주세요. 왕의 뜻을 전해 주세요.

미갈 난 깨울 수 없어요.

장수 (*침대로 가면서*) 여보시오! 여보시오! 다윗!

(*그는 갑자기 침대 커버를 벗긴다.*)

아니! 이게 뭐야?

(*이를 지켜보던 하녀는 까르르 웃고 병사들이 그녀를 돌아보자 도망가듯 방에서 나간다.*)

병사 1 속았잖아! 하-하-하! 이건 나무로 만든 남자 인형이네!

병사 2 염소털 베개로군. 하-하-하! 이게 미갈의 남편이었어!

미갈 나의 드라빔, 내 집안의 신상이다.

장수 다윗은 어디 있어요? 어디에 숨겼어요?

미갈 난 남편을 숨기지 않았다.

(*잠시 침묵이 흐른다. 사울의 목소리가 층계에서 들린다.*)

사울 목소리 왜 이렇게 시간을 끌고 있는 것이냐? 뭐 때문에 지체하고 있느냐? 왕의 심부름을 왕이 몸소 해야 하느냐?

(*사울이 들어온다.*)

사울 너희들 여기서 뭐 하는 거냐?

미갈 아버지! 주님이 아버지의 기력을 강건케 하여 주시기를!

사울 하! 미갈! 다윗을 데려오라고 했는데, 침상에서 일어나지를 못한다고?

장수 여기를 보세요, 왕이시여! 침대에 누운 환자를 보세요. 우리가 따님한테 속았어요.

사울 이게 뭐냐?

(*사울은 신상을 집어 들고 이를 방바닥에 내동댕이친다.*)

미갈 오, 나의 드라빔! 우리 집의 신을! 오, 비통해라! 우리 집안에 불행이 덮치겠구나! 오 -!

(*미갈은 드라빔 앞에 무릎을 꿇는다.*)

사울 다윗이 어디 있느냐? 너는 왜 나를 속이느냐?

미갈 오, 내 집의 신이여! 내 어머니의 신이여! 이제 나를 찾아오지 않겠구나!

사울 미갈! 대답하라! 대답하지 않으면 내가 너를 죽이겠다.

미갈 오, 내 집의 신이여, 내가 죽임을 당합니다. 내가 죽게 내버려두렵니까?

사울 다윗은 어디 있느냐?

미갈 오, 아버지, 다윗은 떠났어요. 해가 뜨기 전에 떠났어요.

사울 나를 적대시하고 너는 그를 도왔구나.

미갈 (*흐느끼면서*) 오! 오! 다윗이 말했어요. 병사들 앞에서 그가 괴롭힘을 당하는 꼴을 보지 않으려면 그를 가게 놓아두라고요. 그렇지 않으면 나를 죽일 수밖에 없다고 했어요. 난 다윗을 막을 수 없었어요. 못 가게 했으면 나를 그 자리에서 찔렀을 거예요.

사울 그럼 너는 왜 적을 따돌리고 도망가도록 나를 속였느냐?

미갈 (*흐느끼며*) 그를 저지할 수 없었어요.

사울 그를 떠나게 도왔단 말이지?

미갈 한밤중 주님 앞에 일어나 기도하고 아무도 모르게 사라졌어요.

사울 어디로 갔느냐?

미갈 어디로 갔는지 진정, 전 모릅니다.

(*잠시 침묵이 흐른다.*)

사울 나를 피해 도망갔단 말이지! 내 살과 내 피로 태어난 자식이 내 적을 도망가게 돕다니! 미갈, 너에게 화 있을진저! 제 아비의 적을 돕고 제 아비를 땅에 쓰러트리는 자식에게 화 있을진저! 오, 내 살과 내 피로 낳은 자식이 나를 대적하는구나! 내게서 나온 씨가 내가 쓰러지는 꼴을 지켜보고 있구나!

미갈 아버지, 왜 다윗을 죽이려고 하십니까?

사울 미갈! 너에게 화 있을진저! 다윗은 너에게 화를 불러오고야 말 것이다. 그가 사울을 쓰러트리고, 요나단도 쓰러트리고 너 미갈도 그자가 쓰러트릴 것이야. 그렇다. 나의 온 집안을 그자가 쓰러트릴 것이다. 오, 너는 너의 집에서 네가 끌어안고 있는 드라빔에게나 호소하여라. 너의 드라빔이 너의 집을 사랑한다면, 다윗의 죽음을 재촉해 주겠지. 다윗이 살아있으면 나는 살지 못한다. 너도 살지 못하고 너의 오라비도 살지 못해! 다윗이 우리 집을 온통 피로 물들일 것이기 때문이야.

미갈 (*흐느끼면서*) 오, 나의 아버지시여, 다윗을 저주하지 마세요!

사울 그렇게 될 것이야. 너는 네 아비가 어둠을 들여다보는 통찰력이 없는 줄 아느냐? 너는 이제 남편에게 버림받은 여자야. 아비를 속이고 아비에게 상처를 준 까닭에 나도 너를 버린다.

미갈 오, 아버지, 용서해주세요. 이 딸을 내치지 말아 주세요!

사울 너는 너의 의지로 아버지를 무너지게 하고 아버지 집에 파멸을 가져온 자식이다.

미갈 아니어요. 아, 그건, 그건 아니어요, 아버지!

▌열다섯 번째 장면

(*라마의 나욧. 둥그런 피라미드 모양의 언덕이 있고 위로 올라가는 층계 비슷한 계단이 있다. 그곳에는 돌 제단이 있다. 수많은 젊은 예언자들과 나이 지긋한 예언자들이 사제 예복인 푸른 에봇을 입고 언덕 위와 언덕 아래에 있다. 어떤 예언자들은 하프, 수금, 단소 또는 소고를 들고 있다. 음악 소리는 열정적이며 빠른 영창이다. 이들은 무언가 신비한 일이 일어나기를 기다리고 있다. 언덕 밑에서는 사무엘과 다윗이 이야기를 나누고 있다. 사무엘 선지를 시중드는 예언자 한 명이 이들에게서 약간 떨어진 위치에 서 있다. 예언자들은 언덕 위에서 불규칙하게 부르짖기도 하고 때로는 노래를 부르기도 한다.*)

예언자들 여기는 주님이 계신 장소요, 우리 머리 위에 우리 눈에는 보이지 않아도 여호와가 빛을 발하고 계시오. 네, 이곳에는 여호와가 계십니다. 누가 감히 여호와 하나님의 영광의 광채 속으로 들어갈 수 있느뇨? 오, 주님, 주님의 은총으로 가득 찬 이곳 높은 산에서 노래합니다. 이 세상은 여호와 하나님이 지으신 생명체로 가득 차 있습니다.

사무엘 (*다윗에게 말하며*) 다윗, 자네는 이제 이곳을 떠날 때가 됐어. 사냥개들에게 쫓기는 여우처럼 계속 도망 다녀야 하네.

다윗 나의 아버지시여, 어째서 나는 이렇게 항상 도망을 다녀야만 합니까? 이제는 지칠 대로 지쳤습니다.

사무엘 나도 안다. 아직은 그래도 도망 다니는 일이 자네가 할 몫이야. 자네를 추격해서 사울이 이곳에 곧 나타날 것이다. 그러나 확실한 것은 사울은 하나님 앞에서 몰락하게 되어 있느니라. 사울이 그의 도성으로 돌아가면 자네는 자네에 대해 사울이 품고 있는 의도가 무언지 몰래 알아보도록 하라. 여전히 그가 악의를 품고 있으면 계속 도망 다닐 수밖에 없다.

다윗 사울의 집과 저의 집 사이에 평화는 요원한 건가요?

사무엘 하나님의 뜻을 누가 전적으로 알 수 있겠느냐? 이번에 평화가 없으면 자네 집과 사울 집 사이에 평화는 영원히 없는 것이야.

다윗 그래도 나는 그의 사위이고 미갈은 내 아내가 아닌가요! 나는 내 아내가 그립습니다.

사무엘 사울의 집이 자네의 집인가?

다윗 네, 진정 그렇습니다.

사무엘 지금 자네가 진정이라고 했나? 내 말 잘 듣게. 자네와 사울 사이에 이번에 평화가 오면 그건 진정한 평화야. 그러나 그렇지 않으면 도망 다니는 것 말고는 방법이 없네. 목숨을 건지려면 사울이 살아 있는 한 계속 그를 피해야 한다. 하나님은 자네를 택하셨어. 때가 되면 자네가 왕이 되지. 그런데 나는 자네의 그날을 보지 못할 것이네.

다윗 사울 왕과 평화를 이루면 얼마나 좋겠어요! 내 집으로 돌아가고 싶어요. 내가 책임지고 있는 식솔들에게 돌아갈 수만 있다면, 내 아내 곁으로 돌아갈 수만 있다면 얼마나 좋겠어요!

사무엘 내 아들아, 한때는 하나님이 사울을 선택하셨지. 지금은 그를 버리고 자네를 택하셨어. 자네는 사울의 얼굴을 아무 사심 없이 볼 수 있겠는가? 사울 또한 자네 얼굴을 죄의식 없이 볼 수 있을까? 평화 속에 서로 마음이 열려 있는 남자들처럼 자네 두 사람이 서로의 얼굴을 꺼리지 않고 들여다볼 수 있겠느냐 말이다.

다윗 저는 사울 왕에게 변함없이 충성할 것입니다.

사무엘 그거야 그렇겠지. 그러나 한편으로 사울 머리에 얹어있는 왕관을 눈으로 보면서, 나도 왕인데 하며 심중에 그 왕관을 거머쥐고 싶은 마음이 없는지 난 그걸 자네에게 묻고 있네.

다윗 오, 그건 아닙니다, 아버지시여!

사무엘 그렇지 않다고? 지금 이 자리에서 나한테는 그렇게 말하겠지. 마음속으로 스스로 한번 생각해 보게. 사울이 살아 있는 한 나는 왕이 될 수 없다. 사울과 그의 가문이 영원히 통치할 것이고, 나의 친구 요나단이 나를 젖히고 왕이 된다. 그래도 자네는 아니라고 내게 말하겠는가?

다윗 사무엘 선지께서 저에게 대답을 요구하시나요?

사무엘 사무엘은 요구하지 않는다. 그러나 사울을 위해서, 요나단을 위해서, 미갈을 위해서, 평화를 위해서 자네는 대답할 수 있겠는가? 나는 자네 심중에서 나오는 대답을 듣고 싶네. 거짓된 대답은 내가 냄새로 아니까. 그래, 그렇다면 자네에게 요구하겠다. 어디 대답해 보아라.

다윗 하나님이 저에게 뜻하신 대로 이루어지기를 바랍니다.

사무엘　　그렇지. 하나님이 자네 머리에 기름을 부으셨으니, 사울이 죽고, 나 사무엘도 죽고, 이스라엘의 사사들이 죽은 후에 자네는 이스라엘을 통치할 것이야. 나의 때는 이제 끝났어. 자네의 때가 새 시대의 시작이다. 그렇지. 사울은 나의 시대에 살았고 자네는 내가 알 수 없는 자네의 시대에 살 것이니까.

다윗　　오, 사무엘 선지시여, 나하고 사울 왕 사이에는 분노와 슬픔 외는 아무것도 없는 것입니까?

사무엘　　하나님이 보여주실 터인데, 그걸 모르겠느냐?

다윗　　사울 왕과 나, 우리 둘 사이에 평화가 있으면 얼마나 좋겠어요!

사무엘　　그것이 진정 자네가 바라는 것인가? 바람이 방향을 바꾸면 구름을 제자리에 밀어 넣을 것이다. 그러면 젖은 빗속에 불길이 타오르지 않겠느냐? 우리의 하나님은 만물의 해결사시니까. 사울은 힘차게 솟는 큰 불을 보았고, 그 불이 자기를 덮쳐서 쓰러트리기 때문에 미쳐버린 것이야. 자네는 멀리 떨어진 곳에서 하나님을 자네와 흡사한 모습으로 보고 있겠지? 아니면 자네가 먼 곳에서 닿지 못하는 자네의 야망을 채워주는 형체로 하나님을 보고 있는가? 사울은 하나님의 불길을 갈망하고 자네는 앞으로 다가오는 자네의 영광을 갈망하고 있어. 사울의 하나님은 얼굴이 없지만, 그러나 자네는 하나님과 이야기할 수 있지 않은가. 그렇게 할 수 있으면 그렇게 해야지. 나는 이제 늙었다. 내가 할 일은 다 했네. 현재로서 자네가 할 일은 도망가는 일뿐이야. 도망가고 또 도망가고 이제 한 번 더 도망가면, 결국에는 자네가 왕국을 차지할 것이네. 백성들 앞에 영광을 얻을 자는 바로 다윗, 자네니까. 내가 내 손으로 자네 머리에 기름을 부었지만 난 앞으로는 너를 보지 못한다. 내 수명이 다해서 심장이 멈출 때가 되었어.

다윗 제게 축복해 주지 않으시렵니까?

사무엘 축복해 주지! 그래, 내 아들 다윗을 축복해 줘야지. 너의 앞길은 강력하다. 오래도록 강력할 것이야. 그러나 먼 훗날 하나님의 얼굴 없는 불꽃이 사울 앞에 나타난 것처럼 사람들 앞에 나타날 것이다. 오냐, 내가 너를 축복해 주마! 너는 홀로 용감하지만 그래도 교묘한 기지로 살아야 한다. 교묘한 기지가 너의 가문을 영원토록 지켜줄 것이다. 하나님이 여우와 족제비를 창조하지 않으셨느냐? 이들은 뱀처럼 슬기로워서 깡충거리며 가볍게 뛰어다니지 않느냐!

다윗 오, 사무엘 선지시여, 나는 지금까지 지혜만을 구했습니다. 내가 사람들 앞에서 어떻게 행동해야 하고 어떤 자세로 살아야 하는지 가르쳐 주십시오, 아버지께서 가르쳐 주시는 대로 따르겠습니다.

사무엘 그럴 필요는 없다. 자네는 지혜롭게 행동하고 있으니까. 다윗의 하나님이 다윗과 함께 계시네. 그렇다. 하나님은 오직 한 분이시지만, 각 사람 안에 모시는 주님이 그의 주님인 셈이지. 그렇지만 난 자네가 오직 한 분이신 여호와 하나님만을 모시고 그와 함께 걷기를 바라네. 자네는 이스라엘에 새로운 미래를 건설할 위대한 인물이 된다. 돌멩이 틈바구니에서도 꽃들이 위로 피어오르기 위해 몸부림치고 싸우듯, 자네는 오직 하나님과 단둘이 부딪혀 끝내 태양 아래 꽃을 피울 것이야. 태양 같은 하나님의 뜻은 돌 바위틈에서도 쉴 새 없이 흐르는 물처럼 움직이시니까.

(*예언자들 사이에 떠들썩한 소리가 들린다. 이에 사무엘은 하늘 위를 올려다보고 한동안 멍하니 하늘을 바라본다.*)

그래. 꽃송이처럼 너도 언젠가는 시들 때가 올 것이다. 사울도 한때는 하나님의 타오르는 관목이었지. 사울이 사람들 얼굴에 반사된 자기의 형상을 보았으니 슬프구나.

(*산 위에서 음악이 울린다.*)

사무엘 (*예언자들을 향해서*) 예언자들이여, 그대들 눈에 뭐가 보이는가?

예언자들 (*소리 지르며*) 사울 왕 무기에 태양 빛이 번쩍 반사되는 걸 보았어요.

사무엘 (*다윗에게*) 자, 다윗, 이제 떠나라! 나도 사울 왕을 보지 않고 떠나겠다.

다윗 저를 축복해 주세요, 오 나의 아버지시여!

사무엘 주님이 자네의 심장과 영혼을 은총으로 꽉 채워주시기를 비노라! 주님이 자네를 활기차고 민첩하게 해주시기를 비노라! 자네의 영혼이 깨어 있어서 덫에 걸리지 않게 해 주시기를 비노라! 자, 이제 여기를 어서 떠나라. 사울이 자기 도성에 돌아가면 너는 사울의 마음이 어떤 것인지, 너를 어떻게 하려고 하는지 탐문하고 여부를 알아보아라. 자네 말대로 지혜롭게 행동해야 한다.

다윗 사냥개에게 쫓기는 토끼처럼 숲 속에 들어가 숨어 있겠어요. 주님이 나와 함께하여 주시기를!

(*다윗은 퇴장한다.*)

사무엘 (*시중드는 예언자에게*) 사울 모습이 분명히 보이느냐?

예언자 1 예, 분명합니다. 멀지 않은 곳에 있어요. 세구의 우물 옆을 방금 지났어요.

사무엘 병사들이 그와 함께 있느냐?

예언자 1 네, 열 명의 병사들이 함께 오고 있습니다.

사무엘 이 높은 곳에 여전히 무장한 병사들을 대동하고 온단 말이지? 사울 왕께 말하라. 사무엘은 주님의 비밀 언덕으로 떠났다고 전해라.

예언자 1 네, 그렇게 전하겠습니다.

사무엘 이 말도 전해라. 기름 부음 받은 다윗은 이곳에 없고 그가 어디 있는지는 모른다고 해라. 그리고 예언자들을 모두 왕 앞에 배열시키도록 하라.

예언자 1 네, 알겠습니다.

(*사무엘은 퇴장한다.*)

예언자 1 (*언덕 위로 올라가면서 큰소리로*) 오, 거기, 주님의 예언자들이여! 사울 왕을 맞이할 전열을 갖추시오.

예언자 2 (*언덕 위에서 피리를 불고 크게 소리치면서*) 우리의 하나님을 아는 그대들이여, 하나님의 이름을 아는 그대들이여, 사울 왕을 맞이할 전열을 갖추시오.

(*음악가들은 맨 앞줄에 서서 천천히 노래를 부르고 예언자들은 모두 그 뒤에 나란히 서 있다. 이들은 천천히 언덕을 내려가고 사울은 이들을 향해 올라가고 있다.*)

예언자들의 합창 우리에게는 하나님의 군대가 있도다!
다른 편에는 주님을 대적하는 군대가 있도다! 이들이
전능하신 하나님의 얼굴에 창을 흔들려는가?
오호, 적군의 완강한 얼굴을 번개가 때렸나이다.
하-하! 웃으십니까? 오호, 우리는 주님 안에서 강합니다.
하늘 위의 보이지 않는 화살로 우리는 악인의 발을 찌르고,
그를 따라 나온 전사들의 발들을 찌를 것이오.
오호라! 하나님이 우리 손에 들린 활을 조이십니다.
오호라! 우리 손에 들린 분노의 화살촉으로
하나님이 적을 겨냥하십니다!
하나님의 예언자는 화살을 전속력으로 날리어

하나님을 대적하는 적의 방패를 깨트립니다.
전투는 길어져도 보이지 않는 화살들이 날아다니며
적들의 영혼을 찔러 치명적인 상처를 입히고,
이들이 흘린 붉은 핏방울들은 소리 없이 몰래 달아납니다.

(*무장한 병사들과 함께 사울이 들어온다. 예언자들은 계속 노래를 부른다.*)

사울 그대들에게 평강이 있기를!

예언자 1 왕께서 평안하시기를 빕니다!

사울 오호, 하나님의 예언자들이여, 사무엘 선지가 그대들의 감독자가 아니오?

예언자 1 예, 그렇습니다. 왕이시여!

(*사울은 이들이 부르는 노래에 영향을 받기 시작하여 그의 음성에는 예언자들의 리듬이 담겨 있다.*)

사울 사무엘은 여기 없소?

예언자 1 사무엘 선지께서는 주님이 계신 산으로 올라가셨습니다.

사울 이곳에는 주님이 임재하심이 분명하오. (*주위를 둘러보면서*) 찬란한 빛이 환히 드리워져 있구려. 예언자들 가운데 이새의 아들도 있소?

예언자 1 아니요. 그는 이미 이곳을 떠나고 없습니다.

사울	떠났다고? 떠났다고! 이 높은 장소에서 도망갔다고! 그가 틀림없이 이곳을 감싸는 영광의 광채에 겁을 냈나 보군. 눈부신 이 빛이 두려웠겠지! 그래서 빛을 피해 달아난 거야. 타오르는 빛을 보고 도망갔구나! 화염의 빛이 무서워서 도망갔어! 그가 사라졌단 말이지? 그래, 어디로 사라진 거요?
예언자 1	그가 어디로 갔는지 우리는 모릅니다.
사울	그런 자를 도망 가게 두었단 말인가! 가고 싶은 대로 떠나게 했단 말인가! 그렇군. 도망 가게 놓아두었어! 우리가 그자의 뒤를 쫓아 예까지 왔는데 달아나게 그냥 두었다고? 이곳에는 주님이 계시지 않소? 분명히 언덕 위에 주님의 빛이 번쩍이는 것을 보았는데! 높은 이곳은 광채가 빛나는데 주님이 계시지 않다는 말이오?
군사 대장	왕이시여, 저희들은 이곳에 머물까요? 이곳에서 이새의 아들을 찾아 나설까요?
사울	대장, 자네 생각에 그것이 합당하면 그렇게 하게.
군사 대장	왕께서 이곳에 머무시렵니까?
사울	그렇다. 주님이 확실히 이곳에 계신지 난 확인해 보아야겠다.
예언자 1	주님은 분명히 이곳에 계십니다.

(*예언자들은 계속 노래를 부르고 있다.*)

사울	(*천천히 앞으로 나아가면서*) 오, 주님, 당신은 이곳에 계십니

까? 뭐라고요? 언덕 위의 광채는 당신의 빛입니까? 뭐라고요? 이곳의 영광 속에 당신이 계신다고요?

예언자들 화염 속 불꽃이 주님의 임재를 가리킵니다!
태양 속 영광이 우리의 하나님이십니다!

화염 속 불꽃이 주님의 임재를 가리킵니다.
태양 속 영광이 우리의 하나님이십니다!

산 위에 태양이 솟아오르고 당신의 가슴은 빛으로 깨어납니다.
산 위에 태양이 솟아오르고 당신의 가슴은 빛으로 깨어납니다.

사울 그렇다! 오, 예언자들이여! 내가 왕이 아니오? 태양 속 영광이 내 가슴 언덕에 떠올라 내 몸의 새벽을 깨우는가? 아! 이 예언자들이 주님의 영광을 알기 때문에, 이새의 아들이 구름 아래서 대기하고 있는 것이오?

(*사울은 투창을 땅에 꽂고 허리에 차고 있는 검대[劍帶]를 푼다.*)

군사 대장 왕께서는 주님 앞으로 올라가시렵니까? 그러시면 저희 군사는 무장을 풀고 이곳에 막사를 치겠습니다.

사울 내가 올라가겠다. 그대 병사들은 이곳에 머물라.

군사 대장 예, 이곳에서 막사를 치고 기다리겠습니다.

(병사들은 모두 무장을 푼다.)

사울 하! 하! 예언자들에게 영광이 있느냐? 저들 노래는 골짜기 바위들을 울리는구나. 하! 하! 급작스레 타오르는 불길이여! 내가 그곳을 향해 갑니다! 그렇소! 내가 영광의 빛 가운데로 들어갑니다!

(화염 빛 가까이 다가서면서 그는 모피 외투를 벗어던져 내려놓는다. 예언자 한 명이 벗은 그의 외투를 집어 든다.)

예언자들의 합창 흰 양털이 그대의 외투를 하얗게 덧입혀주지는 못한다오.
흰 양털이 그대의 외투를 하얗게 덧입혀주지는 못한다오.
불은 불에게 말하고, 불길은 주님의 불길만을 손짓하여 부른다오!
불은 불에게 말하고, 불길은 주님의 불길만을 손짓하여 부른다오!

(예언자들은 두 줄로 나누어 서서 사울이 올라오는 길을 터준다.)

사울 내 심장은 차가운 화로인가? 주님을 향한 내 심장엔 불길이 없나? 불을 지피시는 분이여! 이 몸에 불을 지펴주소서! 그리하면 나의 심장은 주님을 향해 빛을 발하고 그늘에서도 드러날 것입니다. 내 안에 지핀 불이 주님의 불을 향해 올라갈 것입니다. 오, 주님, 광채의 파동이시여!

병사 1 (*언덕 아래서 갑자기 크게 외치며*) 내 가슴에 태양이 떠오릅니다! 오호! 내게서 빛이 나옵니다!

사울 (*급하게 말하며*) 내가 주님께 올라갈 것이다! 오! 내가 올라갈 것이다! 불길이여, 나를 달구어 주소서! 광명의 주님, 내 심장 속에서 구름을 거두시고 태양을 불러주소서! 오호! 그동안 나는 컴컴한 잿더미 속에 죽어 있었습니다! 주님의 작열하는 불꽃 속으로, 주의 영광 한가운데로 나를 인도하여 일으켜 주소서!

(*사울은 천천히 앞으로 나아간다.*)

오, 얼굴 없는 불꽃이여, 나를 꺼지지 않는 불길 속에 담가 주소서!

(*사울은 이제 무릎까지 내려오는 넓은 소매의 튜닉을 벗어던진다. 그의 튜닉은 목둘레에 수가 많이 놓아져 있고 소매는 여러 가지 채색으로 되어 있다. 튜닉을 벗은 사울은 이제 넓적다리까지 내려오는 소매 없는 속 셔츠를 드러낸다.*)

병사 1 (*언덕 아래서*) 왕들은 한번 왔다 사라지지만 화염은 영원히 타오릅니다. 하얀 불꽃 나무 같은 주님은 이곳에 거하십니다. 아, 그분의 하얀 영광의 냄새가 내 코를 스칩니다.

사울 언덕 아래 있는 저 병사에게 주님의 영광이 임했다고? 일개 사병이 나보다 더 복을 받았단 말인가? 오호, 전능자시여, 난 아직 죽지 않았습니다! 내 육신에는 꾸준한 불길이 있습니다. 불길은 불길을 부르고 죽은 불꽃은 던져버려 없어집니다.

(사울은 셔츠도 벗어버린다. 아랫배를 가린 가죽 허리띠만 남기고 벌거벗은 그의 몸은 검은 피부를 드러낸다.)

내 몸에 걸친 것은 이제 아무것도 없다. 벌거벗은 내 육신의 불길이 영광의 불길에 기대고 있다. 오로지 하나님의 영광에 싸여 있는 내 벌거벗은 몸은 왕이 아니야. 내게는 육신과 영혼이 있을 뿐, 왕국도 없고 나는 이름도 없다. 그러나 느리고 어두운 내 몸의 불길이 거대한 영광의 불길에 기대어 조금씩, 조금씩 빨려 올라가다 보면, 벌거벗고 이름 없는 이 몸도 한 발 한 발 주님의 영광에 도달할 것이 아닌가!

예언자들의 합창 한 병사가 발꿈치로 서서 닫혀 있는 꽃봉오리를 열고 가슴의 꽃을 펼치고 있구나!

오호, 아침 햇살 받은 꽃처럼 주님의 은총이 활짝 핀 당신의 꽃 가슴을 채우시는 도다!

병사 1 이곳으로 오라! 주님의 불꽃이 이 높은 곳을 비춘다. 오라! 사람들이 주님의 집을 지어 주님을 덮개 아래 가두기 전에, 어서 오라! 동트는 태양이 빛나는 언덕 위에서 숨 쉬고 살아 있다는 게 얼마나 좋은 일이냐! 다윗의 후손이 주님을 위한 집을 지어 주님을 안에 가두면 영광은 사라질 것이다. 그리고 사람들은 변화되지 않은 채 돌아다닐 것이다. 오, 이 높은 곳으로 오라! 어서 오라! 오라. 이 높은 산으로 오라. 어서들 오라!

사울 죽음이 내게 다가오는 게 느껴진다. 잠 중의 잠, 죽음이 나를 향해 기어 오는구나.

(*그는 바닥에 몸을 던진다.*)

바닥에 내려놓은 이 몸은 밤이나 낮이나 이대로 누워있겠지? 하나님 앞에 죽음처럼 벌거벗은 내 몸을 눕혀 놓는다. 아, 내 인생은 나에게 무슨 의미인고! 죽음을 벗어나 태양의 구름 안으로 들어가지 못하고 죽을 때까지 땅바닥에 누워 있어야 하는가! 슬프도다! 아, 가련한 내 인생! 내 아이들, 불쌍한 내 아이들의 아이들! 이새의 아들이 내 자식들을 모조리 쓸어 버릴 테지! 비통한 이스라엘아! 저 여우가 힘센 사자를 덫에 걸리게 하는구나. 아직 수컷이 건드리지 않은 암컷 족제비가 자기 새끼를 입으로 낳고, 결국 용감한 사내들에게 먹히는구나! 다윗의 씨가 통치하는 날 이스라엘은 교활한 재주로 번성할 것이다. 땅에 구멍을 파고 잠복하는 기술과 교묘한 술수로 이새의 씨들이 이 땅을 꽉 메우겠지. 그때 영광의 주님은 마음이 멀리 떠나 있고 신들은 비참해지고, 사람들은 메뚜기 떼 같이 될 것이야. 그러나 지금 나는— 나는 주님의 영광 속에서조차 나의 죽음이 임박함을 느낀다. 그렇습니다. 오, 주님, 죽기 전에 나를 평화롭게 해주소서! 내가 다시 주님의 불꽃 속으로 되돌아갈 수는 없는지요!

(*그는 말을 멈춘다.*)

병사 2 사울이 그의 병사들을 버렸어요. 그가 해야 할 일을 잊고 있습니다!

예언자 1 사울을 그대로 두시오! 그가 잃는 손실은 다른 사람의 승리보다 훨씬 값지고 중요합니다.

병사 2 예. 그런데 어떻게 지휘관이 그의 병사들을 버릴 수 있습니까? 아무리 주님을 위해서라지만!

병사 1 (*예언하면서*) 그대가 그대의 영광을 떠날 때 가장 빛나는 자여, 주님의 화염 속으로 나도 함께 가게 하소서.

예언자들의 합창 그렇지 않으면 주님이 낚아챌 수 있으니
몸을 엎드리시오.
주님 앞에서 몸을 낮추시오. 납작하게 낮추시오.
만물은 전능하신 하나님의 불꽃에서 나오고,
어떤 것도 결코 되돌아가지 못하오.

만물은 전능하신 하나님의 불꽃에서 나오고,
어떤 것도 결코 되돌아가지 못하오.

어떤 자는 그들의 방법과 그들의 뜻을 버리지 못하고,
결국 입 벌리고 기다리는 버러지의 목구멍으로 들어갑니다.

어떤 자는 그들의 방법과 그들의 뜻을 버리지 못하고,
결국 입 벌리고 기다리는 버러지의 목구멍으로 들어갑니다.

그러나 저 높은 곳의 주님은 언덕 아래 기대고 있는
그의 자녀들을 그의 불꽃으로 감싸고 보호해주십니다.
세상의 온갖 회오리바람이 불어 닥칠지라도
그들 가운데 한 사람도 무덤으로 보내지 않고
한숨 한 번 짓지 않도록 지켜주십니다.

열여섯 번째 장면

(길갈. 시간은 늦은 오후. 다윗은 에셀 바위 가까이 숨어 있다.)

다윗 (*혼잣말로*) 이제 요나단이 나타나지 않으면 난 끝난 거야. 해 질 때가 가깝지 않은가. 그를 기다린 지 벌써 나흘째로구나. 오호, 사울은 계속 내 목숨을 노리고 있어. 오, 주여, 나를 보호해 주시고, 나의 적들을 막아 주소서. 저들이 좌절하여 넘어지게 하소서. 오, 나의 하나님, 내가 길갈 근처에 와 있습니다. 나와 나의 집 사이에는 죽음이 가로 놓여 있어요. 오, 미갈, 당신은 내게서 지척 간에 있건만 죽음의 간격만큼이나 멀리 있구려. 나는 먹은 것 거의 없이 사흘 동안 숨어 지냈는데 계속 숨어 다녀야 하는가. 이런 나를 하나님의 기름 부음 받은 자라고 할 수 있는가! 사울은 나를 죽이려 드니, 그에게 잡히는 날이면 나는 죽는다.

저기 누가 보인다. 누군가 들판을 가로질러 움직이고 있구나. 조심하고 지켜보자. 요나단인가? 두 사람이 보이네. 그래 두 명의 남자가 보인다. 한 사람은 앞에서 또 한 사람은 뒤에서 걷고 있어. 요나단과 그의 하인임에 틀림이 없어! 요나단이 과연 약속을 지키는구나! 오, 주님, 적들로부터 나를 구해 주소서. 적들이 나를 에워싸고 잡으려 합니다. 오, 나의 하나님이시여, 적들이 숨어 있는 나를 붙잡지 못하도록 적의 목에 밧줄을 동여매어 주소서. 그래, 줄무늬 외투를 보니 저건 요나단이 틀림없어. 그의 뒤를 따르는 자는 활을 든 소년이 구나. 이건 내가 사느냐 죽느냐의 문제다. 귀를 열고 요나단 이 하는 말을 놓치지 않고 잘 들어야 한다. 아, 부디 그의 화 살이 내 앞쪽에 떨어졌다고 소리 치면 얼마나 좋을까? 그건 왕이 나를 죽이지 않겠다는 신호로 내가 집에 돌아갈 수 있 다는 표시이다. 그러나 그가 천천히 와서 슬픈 소리로 화살 이 소년의 머리 위로 훌쩍 넘어갔다고 하면 나는 또다시 쫓 기는 개처럼 광야로 도망가야 한다. 내가 여기 있다는 사실 이 알려지면 사울의 군대가 나를 덮치겠지. 저 소년이 보지 못하게 나는 또 숨어야겠다.

(*잠시 후 다윗은 퇴장한다. 활을 든 요나단과 활통을 든 소년이 들어온다.*)

요나단 (*활을 튕겨보면서*) 오, 여기가 에셀 바위구나. 얘야, 저기 낙 타 모양의 죽은 관목이 보이느냐? 내가 저기를 과녁 삼아 활 을 쏠 테니, 화살을 이리 다오. 화살이 잘 날아갈지 어디 쏘아 보자.

(*화살을 취해서 균형을 잡고 목표를 겨냥하여 쏜다.*)

낙타의 코가 아니라 귀를 맞췄구나. 어디 다시 쏘아보자.

(*화살 하나를 더 날린다.*)

아! 이번에는 목을 맞췄어. 낙타야, 넌 인제 죽었다. 그래도 네 코는 살아서 흥겹게 흔들거리느냐? 한 번 더 쏘자!

(*화살 하나를 더 날린다.*)

코 끝을 스쳐서 상처를 입혔군. 오늘은 어째 잘 안 맞네. 얘야, 화살통은 이리 주고, 가서 화살들을 집어 오너라.

소년 예, 알겠습니다.

(*소년이 달려갈 때 요나단은 화살 하나를 소년의 머리 위쪽으로 쏜다. 소년은 멈춘다.*)

요나단 (*큰소리로*) 화살이 네 머리 위로 날아가지 않았느냐?

소년 화살 하나는 여기 있어요. 아, 또 하나가 있어요.

요나단 (*큰소리로*) 화살 하나는 네 머리 위로 멀리 날아갔다. 어서 가서 서둘러 찾아오너라.

소년 세 번째 화살이 여기 있어요. 모두 세 개가 맞지요, 주인님?

요나단 네 번째 건 저 멀리 날아갔어. 네 뒤에 있어. 뛰어 가봐.

소년 (*달리면서*) 안 보이는데요. 화살이 안 보여요! 아, 여기 있군요. 찾았어요. 관목 속에 떨어졌어요.

요나단 해 떨어지기 전에 서둘러 오너라.

(*소년은 급히 달려온다.*)

	얘야. 너는 활과 화살통을 갖고 먼저 집에 가라. 난 저 바위에서 좀 쉬었다 가겠다.
소년	주인님 혼자 오시게요?
요나단	그래. 하루 일이 끝났으니 머리 좀 식히고 갈게. 넌 먼저 집으로 돌아가라.
소년	예, 알겠습니다.

(*소년은 퇴장한다. 요나단은 에셀 바위 쪽으로 가서 바위에 앉는다.*)

요나단	(*작은 목소리로*) 다윗! 다윗!

(*다윗은 흐느끼며 나온다. 그는 땅에 이마를 대고 요나단 앞에 세 번 절을 한다. 요나단은 그를 일으켜 세운다. 두 사람은 서로 끌어안고 함께 운다.*)

다윗	이젠 죽음이로구나. 왕이 나를 죽이는 거지?
요나단	그래, 아버지가 자네를 죽이겠다고 하니, 멀리 도망가야 한다.
다윗	(*흐느끼면서*) 아, 요나단! 그대의 종 다윗은 그대에게 깊이 감사한다. 그러나 쫓기는 개처럼 도망 다니는 신세가 정말 지겹고 견디기 힘들어. 머리 둘 곳 없이, 내 집도 아내도 친구도 버리고 혼자 도망 다니는 내 신세가 너무 비통하다. 내가 무슨 나쁜 죄를 지었기에 – 내가 무슨 몹쓸 짓을 했기에 – 요나단, 말해 다오. 내가 죽을 죄를 지었다면, 내게 잘못이 있

다면, 차라리 그대가 나를 죽여다오.

요나단 (*울면서*) 자네는 잘못이 없어! 잘못한 게 없다고. 자네는 기름 부음을 받았으니 장차 왕이 될 거야. 사무엘 선지가 나욧에서 왕의 얼굴을 보지 않겠노라고 했다는 말을 들었어. 자네는 왕이 되는 그날까지 – 사울 왕이 죽고 내가 죽는, 그날까지 도망 다녀야 한다.

다윗 (*울면서*) 이건 내가 원하는 일이 아니야. 이런 일은 내가 선택한 게 아니야. 원하지도 않았는데 나에게 떠맡겨진 짐이야. 내가 선택한 일이 아니란 말이다! 난 도망가고 싶지 않아. 길갈에 들어가서 그냥 잡혀 죽을래. 자네 얼굴도 보고, 미갈 얼굴도 보고 왕 얼굴도 보고, 그리고 나를 죽게 해다오. 길갈에 돌아가서 죽게 해다오!

(*다윗은 땅에 몸을 던지고 슬픔으로 몸부림친다.*)

요나단 그럴 수는 없어! 그건 안 돼! 자네는 죽으면 안 돼! 도망가야만 해! 사울 왕이 죽을 때까지 도망 다녀야 해. 사울 왕이 쓰러지면 그때는 나도 함께 쓰러진다. 나는 아버지를 따라가야 하니까. 그리고 그날 자네는 왕이 되는 거야.

다윗 난 이제 도망 다니기 싫다.

요나단 가야 해. 지금 가야 해. 날이 어두워지기 전에, 저들이 나를 찾으러 사람을 보내기 전에 어서 떠나라. 진정하고 어서 일어나!

(*다윗은 천천히 일어난다.*)

다윗 그대는 왜 나를 구하려고 하지? 왜 나를 죽이지 않고 도와주는 거지? 자네 손으로 지금 나를 죽일 수 있잖아!

요나단 난 죽이지 않아. 지금도, 앞으로도, 영원히 자네를 죽이지 않는다. 자네는 떠나야 해. 어서 가라. 우리는 주님의 이름으로 서로 맹세한 사이가 아닌가? 주님 안에서 나와 자네 사이에, 나의 후손과 자네의 후손 사이에 영원한 평화를 약속한 우리의 언약이 있지 않은가! 우리의 맹세를 기억하고 평안한 마음으로 어서 떠나라.

다윗 그래. 우리 사이에는 맹세가 있지. 이제 난 떠나고 우리 사이의 약속을 지켜야지.

(*두 사람은 침묵 속에 포옹하고 다윗은 말없이 떠난다. 요나단은 석양빛을 받으며 홀로 앉아 있다.*)

요나단 다윗! 너는 이제 떠나는구나! 이스라엘의 희망을 안고 떠나는구나. 나는 나의 아버지 옆에 남아 있겠다. 참으로 나락으로 떨어지는 저 성광석(星光石), 나의 아버지와 함께 남아 있겠다. 그런데 이런 게 다 내게 무슨 의미가 있겠느냐! 다윗, 나는 너의 새로운 날들을 보지 못할 것이다. 너의 지혜는 미묘하고, 너의 열정 뒤에는 냉철함이 있어서 벌거벗고 불 속에 뛰어드는 그런 무모한 짓을 너는 절대로 하지 않지. 그래.

신중하게 전진해라. 계속 전진하고 나아가라. 난 여기 이 자리에 그대로 있을 것이니, 난 여기서 죽으리라. 너의 가치는 영민한 너의 꾀에서 나온다. 너의 기민한 통찰력이 바로 너의 미덕이지. 그러나 사울에게는 도량 큰 관대함이 있어. 그렇다. 너는 잽싼 돌멩이 하나로 거인들을 쓰러트렸어. 위대한 사람들, 얼굴 없는 관대한 화염의 사람들이 이후에도 주님의 권능을 잃고, 유다의 냉철한 어린 사자, 그대 다윗 앞에 쓰러지고 말 것이다! 그러나 아직도 내 마음은 부드럽고 민첩한 소년을 뜨겁게 그리워한다. 그리고 분노로 시커멓게 타버린 내 아버지조차, 그의 심장 한구석에는 너에 대한 갈망과 연민이 가득하다. 그러나 너, 이새의 아들은 앞으로 나아갈 뿐, 뒤를 돌아보지 않지. 뒤에 남겨진 지나간 그리움의 깊이가 어떤 것인지 너는 헤아릴 줄 모르지. 가라! 떠나라! 지는 해의 노을빛이 내게는 너의 떠오르는 새 날보다 더 귀하구나. 나의 죽음이 너의 목숨보다 내게는 더 소중하다. 내 목숨도 가져가라! 왕국도 가져가고. 다가오는 날들은 너의 것이니, 전부 가져가라. 내게 속한 모든 것을 다 가져가라! 주님의 권세가 있는 죽음의 화염 속에서 난 다윗의 시대가 끝나는 그날을 기다리며 지켜보겠다. 지혜 넘치는 여우 얼굴도 언젠가 그 힘을 잃고, 그의 흘린 피가 화염 속으로 돌아오는 날이 있겠지. 나는 그날을 기다리고 지켜보리라. 그렇다. 태양의 붉은빛은 사라지면 빛을 잃고 죽지만, 화염은 죽지 않지!

자 이제 난 그만 일어나서 집으로 가야겠다.

(*그는 일어나서 황급히 떠난다.*)

끝

역자 후기

성경의 사무엘상과 사무엘하, 두 권은 이스라엘의 지도력이 사무엘 타입의 예언가/사사 시대에서 왕정 시대, 특히 왕조로 전환하는 내용이 그 주제이다. 기원전 1300년에 시작한 사사 시대는 기원전 1050년 왕정 시대의 시작과 더불어 끝난다. 이스라엘이 종교 지도자들의 신정 정치를 벗어나서 왕이 이끄는 왕정 정치로 변화하는 단계를 사무엘상은 사무엘, 사울, 다윗, 이 세 명의 서술자로 보여준다. 각 세 사람이 상징하는 바는 사무엘은 사사들의 옛 통치를, 사울은 이스라엘 왕권 시도의 실패를, 다윗은 하나님의 이상적인 왕을 상징한다. 이 세 사람은 세 개의 중요한 갈등, 사무엘과 사울 사이의 갈등, 사울과 다윗 사이의 갈등, 사무엘과 사울을 합한 두 사람과 다윗 사이의 갈등 관계로서 전통 유산의 투쟁을 보게 된다. 후에 다윗이 마주치는 아들 압살롬의 반역은 다윗 가문 비극의 핵심이다. (20세기 미국 작가 윌리엄 포크너는 미국 남부 서트펜 일가의 분열된 집안의 몰락과 좌절을 그린 그의 비극적인 소설 제목을 『압살롬! 압살롬!』이라고 지었다. 이는 사무엘하 18장 33절에서 따온 제목이다. 아들의 사망 소식을 들은 다윗은 "마음이 심히 아파 문 위층으로 올라가서 우니라 그가 올라갈 때에 말하기를 내 아들 압살롬아 내 아들 내 아들 압살롬아 차라리 내가 너를 대신하여 죽었더라면, 압살롬 내 아들아 내 아들아 하였더라.")

하나님이 촛대를 엘리 제사장에서 사무엘로, 왕권을 사울 왕에서 다윗으로 옮기는 과정을 다룬 사무엘서는 개인과 국가의 흥망성쇠를 지도자의 운명을 통해 시사한다. 이는 예컨대, 그리스신화에서 보는 비극적인 왕조의 전설이 영웅 개인의 흥망성쇠의 굴곡으로 그려진 것과 같다. 그러나 그리스비극은 주로 신화를 근거로 하지만, 성경은 엄연한 사실적 역사 기록물이라는 점이 신화와 성경의 중요한 차이이다.

하나님과 사무엘 선지는 왕을 세워줄 것을 요구하는 이스라엘 백성을 기뻐하지 않는다. 이는 하나님과 하나님의 종교법을 이스라엘이 거부하는 것을 뜻하기 때문이다. 그러나 하나님은 사울을 백성의 왕으로 세워주고, 이 모순을 이스라엘의 위치를 신정 제도에서 인간 제도로 구분함으로 조정한다. 왕의 지배 체제가 되면 위험에 처할 수 있다는 사무엘의 경고는 인간이 범하기 쉬운 실수 때문이다. 사울 왕의 비극적 결함은 바로 그와 같은 인간적인 실수에 기인한다. 사울은 곧 돌아올 사무엘의 부재중, 백성이 적들 앞에서 흩어질까 두려워한 나머지, 조금만 더 기다렸더라면 될 것을 이를 못 참고, 스스로 직접 제사를 올린다. 이는 오직 제사장에게만 속한 제의 기능을 찬탈한 행위로, 사울은 치명적인 대가를 치른다. 모든 비극의 영웅들처럼 사울도 결정적인 약점을 지니고 있다. 그는 영적인 또는 종교적인 문제보다는 이 땅의 사물과 인간적인 관습에 더 큰 관심을 둔다. 사울은 용서받지 못할 또 다른 큰 죄를 범한다. 하나님께 드릴 제물이라는 구실로 아말렉의 가장 좋은 짐승들을 죽이지 않고 끌고 왔을 때, 그는 사무엘로부터 혹독한 비난을 받는다. 사무엘은 사울에게 아말렉을 진멸하라는 명령을 내렸으나 아말렉의 아각 왕을 살려주고 가장 좋은 양 떼를 끌고 오면서 선지자의 금지 명령과 성전(聖戰)의 규범을 위반한 신성 모독죄를 범한 것이다. "사울이 죽인 자는 천천이요, 다윗은 만만이로다"(삼상 18:7)라고 이스라엘 여인들이 부르는 전쟁 노래는 사울에게 질투심과 분노를 자극하여 그의 약점을 더욱 고조시킨다. 이스라엘 사제들과 블레셋 사람들 양쪽에 의해 사무엘서에서 반복되는 이 노래의 후렴은 사울의 지도력이 종교적 기준보다는 인간적 기준으로 평가된다는 사실을 예증한다. 따라서 불순종하는 사울을 내치신 하나님은 물질적 세상보다는 정신적인 영적 헌신에 더 높은 가치를 두는 다윗을 좋아하신다. 하나님은 사무엘에게 왕을 선택하는 판단 기준으로 외모를 보지 말고 내면의 중심을 보라고 하셨다. 야만적 인간의 상징인 거인 골리앗이 몸집이 작은 어린 다윗에게 패하는 장면은 신체적 승리 우위에 서는 영적 승리를 비유한다. 다윗은 왕이 제공하는 갑옷, 무기 등의 물질적 보호를 거부하고, 하나님을 욕보이는 불경스러운 골리앗에게 하나님의 분노를 쏟아붓는 기도를 택한다. 다윗은 그의 선조 아브라함이나 모세처럼 하나님의 보이는 것 위의 보이지 않는 것을 선호하는, 크게 보이는 것보다 작은 것을, 외부 환경보다 내면의 믿음을 택함으로써 지속적인 하나님의 신뢰를 얻는다. 이런 태도는 이상적인 군주가 지켜야 하는 최소한의 종교적 필요 요건이다.

사울은 그의 초기의 전쟁 승리를 재현하고 싶은 욕망에 사로잡혀 쇠약해진 에너지를 낭비하면서 계속해서 전쟁을 치른다. 실패를 거듭하자 사울은 마술에 끌리어 점술가를 찾는 행태를 보이며 최후의 절망에 빠진다. 사울은 사무엘의 영이 그에게서 떠난 것은 그의 다가오는 파멸의 징조임을 깨닫는다. 초대왕 사울은 하나님의 뜻에 맞지 않았으므로 하나님께서는 사울을 버리고 다윗을 통치자로 삼으셨다. "왕이 여호와의 말씀을 버렸으므로 여호와께서도 왕을 버려 왕이 되지 못하게 하였나이다"(삼상

15:23)라는 사무엘의 선언은 사울의 왕권이 계승되지 못함과 얼마 안 가서 폐위될 것에 대한 예언이다. 사울의 후원자인 사무엘이 그에게서 벗어나자 그의 찢어지는 심정은 실제로 사무엘의 옷이 찢어지는 것으로 표출된다.

> 사무엘이 사울에게 이르되 나는 왕과 함께 돌아가지 아니하리니 이는 왕이 여호와의 말씀을 버렸으므로 여호와께서 왕을 버려 이스라엘 왕이 되지 못하게 하였음이니이다 하고 사무엘이 가려고 돌아설 때에 사울이 그의 겉옷 자락을 붙잡으매 찢어진지라 사무엘이 그에게 이르되 여호와께서 오늘 이스라엘 나라를 왕에게서 떼어 왕보다 나은 왕의 이웃에게 주셨나이다. (삼상 15:26-28)

사무엘은 죽는 날까지 사울을 다시 보지 않았는데, 그 이유는 사울이 미워서가 아니라 그를 위해서 너무 슬퍼했기 때문이다. 그런 사무엘을 향하여, "여호와께서 사무엘에게 이르시되 내가 이미 사울을 버려 이스라엘 왕이 되지 못하게 하였거늘 네가 그를 위하여 언제까지 슬퍼하겠느냐"(삼상 16:1)라고 책망하신다.

역자는 『셰익스피어: 독백과 대사』(2014)에서 아래의 글을 쓴 적이 있다.

> 성경의 사무엘서 저자는 그 하권 첫머리를 "사울이 죽은 후라"라는 의미심장한 말로 시작한다. 『여호수아』 1장 1절은

> "여호와의 종 모세가 죽은 후에"라는 글로 시작하고, 『사사기』 역시 "여호수아가 죽은 후에"로 시작한다. 이처럼 새로운 시대의 서막은 주로 인물의 죽음으로 표현되는 경우가 많거니와, 『리처드 3세』에서도 관객은 헨리 6세의 운구행렬(1막 2장)을 목격하는 것에서 극은 시작한다. (193-94)

사울 시대가 끝나는 배경에서 다윗이 출현한다. 다윗의 어린 시절에 대하여 우리는 잘 모르지만 그래도 알만큼은 안다. 그의 아버지 이새는 어린 다윗을 무심히 여기든지 과보호를 하든지 둘 중 하나이다. 외모가 훤칠한 이새의 장자 엘리압은 사무엘의 눈에 들었지만, 하나님에 대한 그의 부족한 신심은 왕이 되기에는 자격 미달이다. 아버지 이새는 눈치 채지 못했으나 사무엘은 이새의 여덟 아들 중 막내인 다윗을 사울 대신 이스라엘의 지도자로 택한다. 다윗은 일찍이 비밀리에 기름 부음을 받았지만 사무엘은 사울의 정통성을 왕이 죽을 때까지 존중한다. 그러나 이 사실을 아는 사울은 강박관념에 시달리며 착란증에 빠진다. 정서적으로 안정감을 잃고 기분이 들떠 있다가도 마음이 가라앉는 심한 우울증 상태가 그에게 반복적으로 나타난다. 음악가로 명성을 날린 다윗은 한동안 사울을 위한 심리치료사로 봉사하였으나(삼상 16:14-23) 이런 일시적 방법은 사울의 영적 번뇌의 치유에는 역부족이다.

다윗은 그의 첫 일성(삼상 17:26)부터 그가 권력을 잡을 때까지 예사롭지 않은 포부를 드러낸다. 블레셋 장수 골리앗과 맞서기 전에 그가 전투장에서 하는 말은 혈기 왕성한 청년의 종교적 열정을 넘어서 훨씬 더 크게 울린다. 여기서 그는 확고한 정치적 신조를 드러낸다. 그가 골리앗을 향해

날리는 발언은 이스라엘 백성의 선민의식을 상기시키어 자신감을 높이는 발언이다.

> 너는 칼과 창과 단창으로 내게 나아오거니와 나는 만군의 여호와의 이름 곧 네가 모욕하는 이스라엘 군대의 하나님의 이름으로 네게 나아가노라 오늘 여호와께서 너를 내 손에 넘기시리니 내가 너를 쳐서 네 목을 베고 블레셋 군대의 시체를 오늘 공중의 새와 땅의 들짐승에게 주어 온 땅으로 이스라엘에 하나님이 계신 줄 알게 하겠고 또 여호와의 구원하심이 칼과 창에 있지 아니함을 이 무리에게 알게 하리라 전쟁은 여호와께 속한 것인즉 그가 너희를 우리 손에 넘기시리라 (삼상 17:45-47)

다윗은 예언적 황홀경에 빠지지 않는다. 실제 왕위에 오르기 전에 그는 멀리 앞을 내다보는 이성적인 지도자의 본능을 가지고 있다. 진기하게도 그를 괴롭히는 사울에 대한 다윗의 인내와 자제력에는 정치적 계산이 담겨 있다. 우리나라 강원도 지역만 한 땅에서 3천 명이나 되는 군사를 이끌고 끈질기게 그를 죽이려고 추격하는 사울을 다윗이 죽일 수 있었던 결정적 기회가 두 번 있었다. 그러나 여호와의 기름 부음 받은 자에게 그는 손을 뻗치지 않는다. 보통 사람들은 그들에게 치명적인 해를 입힌 자를 쉽사리 용서하기가 쉽지 않다. 그러나 다윗은 사울에게 말한다. "내 아버지여 보소서 내 손에 있는 왕의 옷자락을 보소서 내가 왕을 죽이지 아니하고 겉옷 자락만 베었은즉 내 손에 악이나 죄과가 없는 줄을 오늘 아실지니이다 왕은 내 생명을 찾아 해하려 하시나 나는 왕에게 범죄한 일이 없나이다"(삼상 24:11). 다윗이 땅에 엎드려 왕에게 절하는 것(삼상 24:8)은 사울에 대한 그의 변함없는 충성과 존경과 사랑을 나타낸다. 또 한 번은 사울이 다윗을 추격하던 중 깊이 잠이 들었다. 그때 사울을 죽일 기회가 있었지만, 다윗은 다만 그의 머리맡에 놓인 창과 물병만을 취한다. 그리고 사울을 곁에서 지켜주어야 할 장수 아브넬이 잠든 것을 책망함으로(삼상 26:15) 다윗은 자기가 사울을 죽일 의사가 없음을 분명히 한다.

다윗이 왕권에 대한 욕망과 설계를 품고 있었는지 없었는지는, 사울이 살아 있는 동안 다윗도 그리고 사무엘서의 서술자도 분명히 밝히지 않고 있다. 다윗이 사울을 해치기를 거부한 것은 그의 앞날을 위한 정치공학적 안전한 투자로 볼 수 있다. 다윗의 야심 찬 첫 무대를 고려할 때 골리앗을 죽이는 자에게 내리는 최고의 포상인, 사울의 딸을 주겠다는 제안은 다윗에게 왕의 사위가 되어 왕의 보호자 또는 왕의 논리적 후계자가 될 수 있다는 계산이 나온다. 만약 왕권이 그에게로 넘어오는 것을 예견한다면, 다윗은 평화롭고 질서 있는 합법적인 방법을 원할 것이다. 그렇지 않으면 왕권의 정통 가치는 없다. 다윗의 망명 생활 중 사울은 미갈을 다른 곳으로 시집보냈다. 아브넬이 다윗에게 평화 협상 타결을 원할 때 다윗이 무엇보다 먼저 그에게 요구한 것은, 우선 사울의 딸 미갈을 데리고 오라는 것이었다. 다윗은 끝내 그녀를 다시 찾아온다(삼하 3:13-15). 이는 사울의 사위로서 그가 정통성을 잇겠다는 의미이다.

사무엘상 14장과 31장에서 우리는 다윗과 요나단이 서로 살아서 헤어졌고, 요나단의 죽음으로 사별한 것을 안다. 다윗은 그의 후원자인 사울과 사울의 아들 요나단의 상실을 항상 마음에 담고 있다. 그리고 사울과 요나단의 사망 소식을 접한 다윗의 시적 비가는 최고조에 달한다.

> 길보아 산들아 너희 위에 이슬과 비가 내리지 아니하여 제물 낼 밭도 없을지어다 거기서 두 용사의 방패가 버린 바 됨이니라 곧 사울의 방패가 기름 부음을 받지 아니함 같이 됨이로다 죽은 자의 피에서, 용사의 기름에서 요나단의 활이 뒤로 물러가지 아니하였으며 사울의 칼이 헛되이 돌아오지 아니하였도다 사울과 요나단이 생전에 사랑스럽고 아름다운 자이러니 죽을 때에도 서로 떠나지 아니하였도다 그들은 독수리보다 빠르고 사자보다 강하였도다 이스라엘 딸들아 사울을 슬퍼하여 울지어다 그가 붉은 옷으로 너희에게 화려하게 입혔고 금 노리개를 너희 옷에 채웠도다 (삼하 1:21-24)

현실적 환경을 보면, 늘 쫓겨 다니는 쪽은 다윗이고 그를 죽이겠다고 수천 명에 달하는 병사들을 이끌고 추격하는 쪽은 사울이다. 그러나 심리적 피해자인 사울은 마음도 편협해지고 점점 더 조급해지고 광폭해지는 반면에, 다윗은 노심초사 피해자 처지의 어려운 가운데 있음에도 그의 주변에 모여드는 환난 받고 억울한 사람들을 챙기고 아량을 베푼다. 그리하여 그를 따르는 자들의 수가 늘면서 자연스럽게 외연 확장으로 이어진다. 다윗의 통치 기간은 정치적이고 역사적이고 또한 개인적이다. 이스라엘의 성숙과 다윗의 성숙은 근본적으로 궤를 같이한다.

사울의 궁정에서 도피하여 망명 생활을 하는 다윗의 정치적 상황은 절망적이다(삼상 21장). 이를 읽는 독자는 고비마다 서스펜스를 느끼고 스릴을 체험하면서, 살아남기 위해 고군분투하는 다윗의 확고한 자세를 보게 된다. 정치적 액션에서 극적 관심은 다윗이 역경 속에서 보여주는 그의 비범한 재능이다. 망명 기간의 이야기 중 가장 큰 모순은 다윗이 그의 운명을 어쩔 수 없이 이스라엘의 적지인 블레셋 사람들에게 맡기고 처신하면서 이스라엘에 대한 애정을 유지하는 태도이다. 블레셋 지역으로 도피하여 숨어 있는 동안, 눈여겨볼 부분이 있다. 이때 사울의 통치는 점점 악해지고 약화되는 반면, 다윗은 이스라엘 정치의 심장부에서 떨어져 있으면서 정치 중립을 유지할 수 있었던 점이다. 그는 블레셋과 함께 있으면서 다른 한편 그의 민족이 블레셋과 싸우는 것을 피해야만 한다.

사무엘서에는 하나님 뜻에 맞는 사람을 들어 민족의 역사를 주관하시는 하나님의 섭리가 나타난다. 이는 역사의 주인은 하나님이시기 때문이다. 그런데 왕권을 다윗에게 옮기시는 하나님의 뜻을 인지한 사울은 그의 인간적 욕심으로 추락의 길을 걷게 된다. 그는 현재 붙들고 있는 왕관, 왕위, 부와 명성을 놓치고 싶지 않은 것이다. 현재 그가 누리고 있는 지위의 모든 소유물을 그는 아들 요나단에게, 그리고 자자손손 대대로 물려주기를 원한다. 보통 사람이 얼마든지 공감할 수 있는, 지극히 인간적인 욕구이다. 따라서 그가 지닌 것을 빼앗기지 않고 유지하기 위한 유일한 길은 그의 정적 다윗을 제거하는 일이다. 사울은 아들 요나단에게 "이새의 아들이 땅에 사는 동안은 너와 네 나라가 든든히 서지 못하리라 . . . 그는 죽어야 할 자이니라"고 이른다(삼상 20:31).

사울은 하나님에 앞서 자신의 욕망을 우선하는 인물이다. 그는 왕이 되기 이전에는 겸손하고 진솔한 사람이었다. 그를 왕으로 세우려 할 때 겁이 나서 짐보따리들 사이에 숨어 버린 겸손하고 수줍은 청년이었다(삼상

10:22). 반면, 사울의 주적 다윗은 매사를 "여호와께 물어 가로되"로 시작하는, 철저히 하나님에 순종하는 사람이다. 하나님의 절대 주권 아래 하나님이 세워주신 나라를 지키며 건강한 사회를 만드는 데 힘쓰는 왕이다. 하나님을 우선하는 사람과 사람의 눈치를 보고 행동하는 사람과의 싸움의 결과는 명백하다. (여기서 셰익스피어의 영국 왕 리처드 2세[1377-1399]의 경우와 비교해 본다. 리처드 2세는 그의 정적인 사촌 볼링브로크에 의해 폐위된다. 관객의 동정심은 처음에는 볼링브로크 편에 기울지만, 후에는 약점이 많은 리처드임에도 불구하고, 그가 왕좌를 잃고 몰락을 받아들일 때, 그에게 마음이 쏠리고 관객은 그와 정체성을 공유한다. 볼링브로크와 리처드, 이 두 사람은 인간의 굴레에서 오르고 내리는 우물 속 두레박과 같은 시소게임을 한다. 그러나 다윗과 사울의 경우는 같은 지렛대 위에서 벌이는 게임이 아니다. 이 둘은 하나님이 택한 사람과 하나님이 버린 사람 사이의 싸움이기 때문이다.)

그러면, 이 이야기를 작가 로렌스는 어떻게 해석하고 극을 쓴 것일까? 로렌스는 비교적 성경 본문의 내용을 충실히 극화하고 있다. 로렌스의 인물 중에서 특히 미갈의 개성 있는 성격 창조는 돋보인다. 미갈이 성경에서 언급된 경우는 극히 소수이고 짧다. 다윗이 언약궤를 다윗 성에 옮겨오고 그 기쁨을 못 이긴 왕은 힘을 다하여 백성이 보는 앞에서 허리춤을 다 드러내고 춤을 추었다. 이를 본 미갈이 "계집종의 눈앞에서 몸을 드러내셨도다"하고 그를 업신여기었다(삼하 6:16). 절대로 넘어서는 안 되는 남자의 자존심에 돌이킬 수 없는 상처를 준 미갈의 독설은 미갈과 다윗 모두에게 불행을 가져왔으니, 다윗은 그로부터 그녀를 가까이하지 않았다. "그러므로 사울의 딸 미갈이 죽는 날까지 자식이 없으니라"(삼하 6:23). 이것이 성경이 그리는 미갈과 다윗의 모습이다. 그러나 로렌스는 이 극에서 미갈과 다윗의 결혼 전 연애 장면과 신혼 분위기를 윤색하여 보여준다. 물론 성경에는 미갈이 다윗을 사모한 소문이 나돌았고 다윗도 미갈을 좋게 여겼다.

로렌스의 등장인물들 가운데 특별히 역자의 관심을 끈 인물은 요나단이다. 요나단의 대사량은 다른 주요 인물들에 비해 적은 편이다. 다윗의 대사보다 세 배 적고 사울의 대사보다, 마찬가지로 세 배 적다. 미갈의 대사량도 요나단의 분량보다 두 배나 더 많고, 사무엘의 분량도 요나단보다 많다. 그런데 극의 마지막 장면은 요나단의 의미심장한 독백으로 끝맺음한다. 요나단은 그도 언젠가 아버지 사울 왕의 뒤를 이어 왕위에 오르는 꿈을 꾸며 성장한 왕세자이다. 그러나 다윗과 절친이 된 그는 다윗에게 이르기를 "두려워하지 말라 내 아버지 사울의 손이 네게 미치지 못할 것이오. 너는 이스라엘 왕이 되고 나는 네 다음이 될 것을 내 아버지 사울도 안다 하니라"(삼상 23:17). 요나단이 꿈꾸는 앞날은 다윗이 왕이 되고 자신은 권력의 2인자로 다윗과 함께 나라를 이끌어가는 현실 정치이다.

요나단과 다윗은 어떻게 그런 절친이 될 수 있었는가? 둘은 어릴 적부터 함께 자란 동네 친구도 아니고, 아버지들끼리 서로 유대감이 있는 비슷한 가문도 아니다. 요나단은 유력한 가문, 그것도 왕가의 자손이다. 반면, 다윗은 '떡집'이라는 별명의 작은 성읍 베들레헴의 이름 없는 집안에서 태어난 하찮은 양치기 출신이다. (참고로, 베들레헴은 다윗의 혈통인 예수님이 태어난 곳이다.) 역자의 눈에는 다윗이 요나단을 사랑한 것보다는 요나단이 다윗을 더 사랑한 것으로 보인다. 그러면 이 두 사람이 절친이 된 근거는 무엇인가? 이 둘을 서로 끌리게 한 답이 있다. "요나단이 자기의 무기를 든 소년에게 이르되 우리가 이 할례 받지 않은 자들에게로 건너가자 여호와께서 우리를 위하여 일하실까 하노라 여호와의 구원은 사람이 많고 적음에 달리지 아니하였느니라"(삼상 14:7). 요나단의 이 말은 이후 다윗이 골리앗을 향해 호통치는 발언을 연상시킨다. 블레셋을 향한 다윗의 호령과 요나단의 언급은 같은 문맥이다. 따라서 요나단이 다윗에게 공감한 점은 하나님 안에서 두 사람의 영혼이 하나가 되는 화끈한 공통분모를 확인한 것이다. 다윗과 절친이 된 요나단은 그에게 자신의 옷을 벗어주고 자신의 무기를 건네주며, 다윗이 필요로 하는 물질적인 도움을 아낌없이 제공한다(삼상 18:4). "요나단은 다윗을 자기 생명같이 사랑하여 더불어 언약을 맺었으며"라는 말이 사무엘상 18장에 여러 차례 기록될 만큼 두 사람의 우정은 매우 돈독하고 단단하다. 무엇보다도 이 두 친구의 우정은 정치적이라고 할 수 있는 언약 관계의 맹세를 한다(삼상 18:1-5). 이 맹세에서 요나단은 미래에 다윗이 통치자가 될 것을 예측하고 두 사람은 서로의 가족을 보호해 줄 약속을 한다(삼상 20:16-17, 42; 23:16-18). 요나단이 다윗에게 그의 옷과 전투 장비를 주는 의미는 그가 언젠가 왕이 될 것을 알아본 것이다. 이들의 관계는 서로 희생적이고 충성스러운 진정한 우정의 자질을 보여준다. 그를 시기하거나 질투하는 대신, 요나단은 하나님의 뜻에 순종하고 자신의 왕위 계승권을 희생한다. 다윗에 대한 그의 충성심은 그를 죽이려는 아버지를 비난하고 다윗이 아버지의 손길을 피하도록 돕는다. 성경에 따르면 진정한 우정의 요소들은 감정적 애착은 물론이거니와, 그와 같은 비중으로 서로 간의 충성, 희생, 타협 정신을 포함한다.

요나단은 차분하고 말수 적은, 너그럽고 용맹스러운 젊은이다. 부하들과 동료들의 존경심을 한 몸에 받는 그의 모습은 인간미 넘치는 매력적인 청년으로 비친다. 블레셋과 전쟁을 치르던 때에 왕은 군사들에게 하루 동안 금식 명령을 내린 적이 있는데, 요나단은 그날 다른 지역에 떨어져 있던 관계로 왕의 명령을 알지 못했다(삼상 14:24-27). 적군을 피해 그가 수풀 속에 숨어있으면서 그곳에서 발견한 꿀을 조금 떼어먹은 사건으로 인해 왕은 그를 죽이려 한다. 그러자 백성이 나서서 왕에게 호소하기를, "이스라엘에 이 큰 구원을 이룬 요나단이 죽겠나이까 결단코 그렇지 아니하나이다 . . . 백성이 요나단을 구하여 죽지 않게 하니라"(삼상 14:45). 백성이 읍소해서 요나단은 죽음을 면한다. 그만큼 그는 백성의 신망이 두터운 존재이다.

요나단의 그러한 품성을 인정하고 받아들임에도 불구하고, 그의 마지막 대사/독백을 읽는 역자는 곤혹감을 떨칠 수 없다. 성경 이야기의 마지막 코너에서 역자는 복병을 만난 기분이다. 물론 작가 로렌스의 생각이 투영된 요나단이다. 덕스럽고 사랑스럽고 친근한 요나단이 로렌스의 극에서 다윗을 떠나보낸 후, 홀로 앉아서 그의 등에 대고 "죽음의 화염 속에서 난 다윗의 시대가 끝나는 그날을 기다리고 지켜보겠다. 지혜 넘치는 여우 얼굴도 언젠가 그 힘을 잃고 그의 흘린 피가 화염 속으로 돌아오는 날이 있겠지. 나는 그날을 기다리고 지켜보리라." 그의 이런 읊조림은 매우 냉소적으로 들린다. 『다윗』 8장 끝에 요나단은 이렇게 혼잣말을 한다. "여호와께서 왕위를 다윗에게 넘기시려고 그의 머리에 기름을 부으셨다면, 요나단은 아무것도 따지지 않으련다. 이 사실을 나의 아버지도 알고 계시리라. 그러함에도 아버지는 하나님을 강한 압력으로 밀어붙이시는구나." 여기서 무서운 권력의 속성을 읽게 된다. 사울을 피하여 사무엘 선지자를 찾아간 다윗이 사울과 평화를 맺고 싶다고 말할 때, 사무엘은 다윗의 정곡을 찌르는 질문을 던진다. "자네는 사울을 아무 사심 없이 볼 수 있겠는가? 사울 또한 자네 얼굴을 죄의식 없이 볼 수 있을까? . . . 사울 머리에 얹어있는 왕관을 눈으로 보면서 나도 왕인데 하며, 심중에 그 왕관을 거머쥐고 싶은 마음이 없는지 난 그걸 자네에게 묻고 있네. . . 사울이 살아 있는 한 난 왕이 될 수 없다. 사울과 그의 가문이 영원히 통치할 것이고, 나의 친구 요나단이 나를 젖히고 왕이 된다. 그래도 자네는 아니라고 내게 말하겠는가?" 예기치 않은 사무엘의 질문에 다윗은 순간 뜨끔했으리라. 사무엘은 바로 권력의 속성을 꿰뚫어 보는 것이다. 그렇다면 이런 속성을 요나단도 체득하고 있는 것일까? 이건 장기판의 막판 뒤집기 게임이다. 왕위를 놓고 벌이는 번뇌 덩어리 사울의 공격성이 요나단의 뇌리에도 어쩌면 깊이 자리하고 있었다는 뜻일까?

요나단의 마음 한구석에 아버지에 대한 개인적인 분노와 적개심이 있었다면, 이는 족히 이해되는 부분이다. "사울이 요나단에게 화를 내며 그에게 이르되 패역무도한 계집의 소생아 네가 이새의 아들을 택한 것이 네 수치와 네 어미의 벌거벗은 수치됨을 내가 어찌 알지 못하랴"(삼상 20:30). 자신과 모친에 대한 이런 모욕적인 비방을 듣고도 상처 받지 않을 아들이 있을까? (참고로, 요나단의 모친 이름은 아히노암이고 외조부의 이름은 아히마아스인데[삼상 14:50], 아이러니하게도 아히마아스의 뜻은 "나의 형제는 분노다"라는 의미를 담고 있다.) 그러면 로렌스가 극화한 요나단의 독백은 내면에 감춰진 자괴감의 분출일까? 아니면 권력은 명예롭지만, 그의 아버지 사울 왕의 머리를 빠개 놓는 무겁고 무서운 짐을 지켜본 그가 권력에 대한 회의감과 무상함을 느끼고, "가여운 다윗, 너도 그 길을 가는구나" 하며 그가 사랑하는 친구 다윗에게 보내는 측은지심의 고별사 인가?

대단원의 마지막 장면에서 작가는 펜을 휘둘러 요나단의 가려진 속마음을 단칼에 뒤집어 보여주려고 시도하는지도 모르겠다는 생각이 역자의 머리를 스친다. "그리고 타인에게 사랑을 강요하는 자는 / 스스로 자신의 몸 안에 살인을 낳는 자이러니"라는 로렌스의 2행시가 떠오른다. 다윗을 향한 요나단의 사랑에도 애증의 편파성이 작용했을 수 있음을 로렌스는 피력하고 있는가? 작가이면서 화가이기도 한 로렌스는 요나단의 초상화를 모호성과 양면성을 갖춘 문학적 표현으로 그리는지도 모르겠다. 아니면, 의식과 무의식 세계의 유기적인 화합을 넘나들며 영감에 의지하여 글쓰기를 좋아하는 작가 로렌스의 산물일 수도 있다. 어쨌든, 역자에게 도전적으로 들리는 이 독백은 『다윗』 독자들에게 인간 심리에 대한 다양한 해석을 가능케 해주는 열려 있는 문이다.

부 록

사무엘상 15-20장

사무엘서에 나오는 주요 인물 소개

사무엘상 15-20장

제 15 장

사울이 아말렉을 치다

1 사무엘이 사울에게 이르되 여호와께서 나를 보내어 왕에게 기름을 부어 그의 백성 이스라엘 위에 왕으로 삼으셨은즉 이제 왕은 여호와의 말씀을 들으소서
2 만군의 여호와께서 이같이 말씀하시기를 아말렉이 이스라엘에게 행한 일 곧 애굽에서 나올 때에 길에서 대적한 일로 내가 그들을 벌하노니
3 지금 가서 아말렉을 쳐서 그들의 모든 소유를 남기지 말고 진멸하되 남녀와 소아와 젖 먹는 아이와 우양과 낙타와 나귀를 죽이라 하셨나이다 하니
4 사울이 백성을 소집하고 그들을 들라임에서 세어 보니 보병이 이십만 명이요 유다사람이 만 명이라
5 사울이 아말렉 성에 이르러 골짜기에 복병시키니라
6 사울이 겐 사람에게 이르되 아말렉 사람 중에서 떠나 가라 그들과 함께 너희를 멸하게 될까 하노라 이스라엘 모든 자손이 애굽에서 올라올 때에 너희가 그들을 선대하였느니라 이에 겐 사람이 아말렉 사람 중에서 떠나니라
7 사울이 하윌라에서부터 애굽 앞술에 이르기까지 아말렉 사람을 치고
8 아말렉 사람의 왕 아각을 사로잡고 칼날로 그의 모든 백성을 진멸하였으되

9 사울과 백성이 아각과 그의 양과 소의 가장 좋은 것 또는 기름진 것과 어린 양과 모든 좋은 것을 남기고 진멸하기를 즐겨 아니하고 가치 없고 하찮은 것은 진멸하니라

여호와께서 사울을 버리시다

10 여호와의 말씀이 사무엘에게 임하니라 이르시되
11 내가 사울을 왕으로 세운 것을 후회하노니 그가 돌이켜서 나를 따르지 아니하며 내 명령을 행하지 아니하였음이니라 하신지라 사무엘이 근심하여 온 밤을 여호와께 부르짖으니라
12 사무엘이 사울을 만나려고 아침에 일찍이 일어났더니 어떤 사람이 사무엘에게 말하여 이르되 사울이 갈멜에 이르러 자기를 위하여 기념비를 세우고 발길을 돌려 길갈로 내려갔다 하는지라
13 사무엘이 사울에게 이른즉 사울이 그에게 이르되 원하건대 당신은 여호와께 복을 받으소서 내가 여호와의 명령을 행하였나이다 하니
14 사무엘이 이르되 그러면 내 귀에 들려오는 이 양의 소리와 내게 들리는 소의 소리는 어찌 됨이니이까 하니라
15 사울이 이르되 그것은 무리가 아말렉 사람에게서 끌어 온 것인데 백성이 당신의 하나님 여호와께 제사하려 하여 양들과 소들 중에서 가장 좋은 것을 남김이요 그 외의 것은 우리가 진멸하였나이다 하는지라
16 사무엘이 사울에게 이르되 가만히 계시옵소서 간밤에 여호와께서 내게 이르신 것을 왕에게 말하리이다 하니 그가 이르되 말씀하소서
17 사무엘이 이르되 왕이 스스로 작게 여길 그 때에 이스라엘 지파의 머리가 되지 아니하셨나이까 여호와께서 왕에게 기름을 부어 이스라엘 왕을 삼으시고

18 또 여호와께서 왕을 길로 보내시며 이르시기를 가서 죄인 아말렉 사람을 진멸하되 다 없어지기까지 치라 하셨거늘

19 어찌하여 왕이 여호와의 목소리를 청종하지 아니하고 탈취하기에만 급하여 여호와께서 악하게 여기시는 일을 행하였나이까

20 사울이 사무엘에게 이르되 나는 실로 여호와의 목소리를 청종하여 여호와께서 보내신 길로 가서 아말렉 왕 아각을 끌어 왔고 아말렉 사람들을 진멸하였으나

21 다만 백성이 그 마땅히 멸할 것 중에서 가장 좋은 것으로 길갈에서 당신의 하나님 여호와께 제사하려고 양과 소를 끌어왔나이다 하는지라

22 사무엘이 이르되 여호와께서 번제와 다른 제사를 그의 목소리를 청종하는 것을 좋아하심 같이 좋아하시겠나이까 순종이 제사보다 낫고 듣는 것이 숫양의 기름보다 나으니

23 이는 거역하는 것은 점치는 죄와 같고 완고한 것은 사신 우상에게 절하는 죄와 같음이라 왕이 여호와의 말씀을 버렸으므로 여호와께서도 왕을 버려 왕이 되지 못하게 하셨나이다 하니

24 사울이 사무엘에게 이르되 내가 범죄하였나이다 내가 여호와의 명령과 당신의 말씀을 어긴 것은 내가 백성을 두려워하여 그들의 말을 청종하였음이니이다

25 청하오니 지금 내 죄를 사하고 나와 함께 돌아가서 나로 하여금 여호와께 경배하게 하소서 하니

26 사무엘이 사울에게 이르되 나는 왕과 함께 돌아가지 아니하리니 이는 왕이 여호와의 말씀을 버렸으므로 여호와께서 왕을 버려 이스라엘 왕이 되지 못하게 하셨음이니이다 하고

27 사무엘이 가려고 돌아설 때에 사울이 그의 겉옷자락을 붙잡으매 찢어진지라

28 사무엘이 그에게 이르되 여호와께서 오늘 이스라엘 나라를 왕에게서 떼어 왕보다 나은 왕의 이웃에게 주셨나이다
29 이스라엘의 지존자는 거짓이나 변개함이 없으시니 그는 사람이 아니시므로 결코 변개하지 않으심이니이다 하니
30 사울이 이르되 내가 범죄하였을지라도 이제 청하옵나니 내 백성의 장로들 앞과 이스라엘 앞에서 나를 높이사 나와 함께 돌아가서 내가 당신의 하나님 여호와께 경배하게 하소서 하더라
31 이에 사무엘이 돌이켜 사울을 따라가매 사울이 여호와께 경배하니라

▌사무엘이 아각을 처형하다

32 사무엘이 이르되 너희는 아말렉 사람의 왕 아각을 내게로 끌어 오라 하였더니 아각이 즐거이 오며 이르되 진실로 사망의 괴로움이 지났도다 하니라
33 사무엘이 이르되 네 칼이 여인들에게 자식이 없게 한 것 같이 여인 중 네 어미에게 자식이 없으리라 하고 그가 길갈에서 여호와 앞에서 아각을 찍어 쪼개니라

▌사무엘이 다윗에게 기름을 붓다

34 이에 사무엘은 라마로 가고 사울은 사울 기브아 자기의 집으로 올라가니라
35 사무엘이 죽는 날까지 사울을 다시 가서 보지 아니하였으니 이는 그가 사울을 위하여 슬퍼함이었고 여호와께서는 사울을 이스라엘 왕으로 삼으신 것을 후회하셨더라

제 16 장

1 여호와께서 사무엘에게 이르시되 내가 이미 사울을 버려 이스라엘 왕이 되지 못하게 하였거늘 네가 그를 위하여 언제까지 슬퍼하겠느냐 너는 뿔에 기름을 채워 가지고 가라 내가 너를 베들레헴 사람 이새에게로 보내리니 이는 내가 그의 아들 중에서 한 왕을 보았느니라 하시는지라
2 사무엘이 이르되 내가 어찌 갈 수 있으리이까 사울이 들으면 나를 죽이리이다 하니 여호와께서 이르시되 너는 암송아지를 끌고가서 말하기를 내가 여호와께 제사를 드리러 왔다 하고
3 이새를 제사에 청하라 내가 네게 행할 일을 가르치리니 내가 네게 알게 하는 자에게 나를 위하여 기름을 부을지니라
4 사무엘이 여호와의 말씀대로 행하여 베들레헴에 이르매 성읍 장로들이 떨며 그를 영접하여 이르되 평강을 위하여 오시나이까
5 이르되 평강을 위함이니라 내가 여호와께 제사하러 왔으니 스스로 성결하게 하고 와서 나와 함께 제사하자 하고 이새와 그의 아들들을 성결하게 하고 제사에 청하니라
6 그들이 오매 사무엘이 엘리압을 보고 마음에 이르기를 여호와의 기름 부으실 자가 과연 주님 앞에 있도다 하였더니
7 여호와께서 사무엘에게 이르시되 그의 용모와 키를 보지 말라 내가 이미 그를 버렸노라 내가 보는 것은 사람과 같지 아니하니 사람은 외모를 보거니와 나 여호와는 중심을 보느니라 하시더라
8 이새가 아비나답을 불러 사무엘 앞을 지나가게 하매 사무엘이 이르되 이도 여호와께서 택하지 아니하셨느니라 하니
9 이새가 삼마로 지나게 하매 사무엘이 이르되 이도 여호와께서 택하지 아니하셨느니라 하니라

10 이새가 그의 아들 일곱을 다 사무엘 앞으로 지나가게 하나 사무엘이 이새에게 이르되 여호와께서 이들을 택하지 아니하셨느니라 하고
11 또 사무엘이 이새에게 이르되 네 아들들이 다 여기 있느냐 이새가 이르되 아직 막내가 남았는데 그는 양을 지키나이다 사무엘이 이새에게 이르되 사람을 보내어 그를 데려오라 그가 여기 오기까지는 우리가 식사 자리에 앉지 아니하겠노라
12 이에 사람을 보내어 그를 데려오매 그의 빛이 붉고 눈이 빼어나고 얼굴이 아름답더라 여호와께서 이르시되 이가 그니 일어나 기름을 부으라 하시는지라
13 사무엘이 기름 뿔병을 가져다가 그의 형제 중에서 그에게 부었더니 이날 이후로 다윗이 여호와의 영에게 크게 감동되니라 사무엘이 떠나서 라마로 가니라

▌사울을 섬기게 된 다윗

14 여호와의 영이 사울에게서 떠나고 여호와께서 부리시는 악령이 그를 번뇌하게 한지라
15 사울의 신하들이 그에게 이르되 보소서 하나님께서 부리시는 악령이 왕을 번뇌하게 하온즉
16 원하건대 우리 주께서는 당신 앞에서 모시는 신하들에게 명령하여 수금을 잘 타는 사람을 구하게 하소서 하나님께서 부리시는 악령이 왕에게 이를 때에 그가 손으로 타면 왕이 나으시리이다 하는지라
17 사울이 신하에게 이르되 나를 위하여 잘 타는 사람을 구하여 내게로 데려오라 하니
18 소년 중 한 사람이 대답하여 이르되 내가 베들레헴 사람 이새의 아들을

본즉 수금을 탈 줄 알고 용기와 무용과 구변이 있는 준수한 자라 여호와께서 그와 함께 계시더이다 하더라

19 사울이 이에 전령들을 이새에게 보내어 이르되 양 치는 네 아들 다윗을 내게로 보내라 하매

20 이새가 떡과 한 가죽부대의 포도주와 염소 새끼를 나귀에 실리고 그의 아들 다윗을 시켜 사울에게 보내니

21 다윗이 사울에게 이르러 그 앞에 모셔 서매 사울이 그를 크게 사랑하여 자기의 무기를 드는 자로 삼고

22 또 사울이 이새에게 사람을 보내어 이르되 원하건대 다윗을 내 앞에 모셔 서게 하라 그가 내게 은총을 얻었느니라 하니라

23 하나님께서 부리시는 악령이 사울에게 이를 때에 다윗이 수금을 들고 와서 손으로 탄즉 사울이 상쾌하여 낫고 악령이 그에게서 떠나더라.

제 17 장

▌골리앗이 이스라엘의 군대를 모욕하다

1 블레셋 사람들이 그들의 군대를 모으고 싸우고자 하여 유다에 속한 소고에 모여 소고와 아세가 사이의 에베스담밈에 진 치매

2 사울과 이스라엘 사람들이 모여서 엘라 골짜기에 진 치고 블레셋 사람들을 대하여 전열을 벌였으니

3 블레셋 사람들은 이쪽 산에 섰고 이스라엘은 저쪽 산에 섰고 그 사이에는 골짜기가 있었더라

4 블레셋 사람들의 진영에서 싸움을 돋우는 자가 왔는데 그의 이름은 골리

앗이요 가드 사람이라 그의 키는 여섯 규빗 한 뼘이요
5 머리에는 놋 투구를 썼고 몸에는 비늘 갑옷을 입었으니 그 갑옷의 무게가 놋 오천 세겔이며
6 그의 다리에는 놋 각반을 쳤고 어깨 사이에는 놋 단창을 메었으니
7 그 창 자루는 베틀 채 같고 창 날은 철 육백 세겔이며 방패 든 자가 앞서 행하더라
8 그가 서서 이스라엘 군대를 향하여 외쳐 이르되 너희가 어찌하여 나와서 전열을 벌였느냐 나는 블레셋 사람이 아니며 너희는 사울의 신복이 아니냐 너희는 한 사람을 택하여 내게로 내려보내라
9 그가 나와 싸워서 나를 죽이면 우리가 너희의 종이 되겠고 만일 내가 이겨 그를 죽이면 너희가 우리의 종이 되어 우리를 섬길 것이니라
10 그 블레셋 사람이 또 이르되 내가 오늘 이스라엘의 군대를 모욕하였으니 사람을 보내어 나와 더불어 싸우게 하라 한지라
11 사울과 온 이스라엘이 블레셋 사람의 이 말을 듣고 놀라 크게 두려워하니라

▌사울의 진영에 나타난 다윗

12 다윗은 유다 베들레헴 에브랏 사람 이새라 하는 사람의 아들이었는데 이새는 사울 당시 사람 중에 나이가 많아 늙은 사람으로서 여덟 아들이 있는 중
13 그 장성한 세 아들은 사울을 따라 싸움에 나갔으니 싸움에 나간 세 아들의 이름은 장자 엘리압이요 그 다음은 아비나답이요 셋째는 삼마며
14 다윗은 막내라 장성한 세 사람은 사울을 따랐고
15 다윗은 사울에게로 왕래하며 베들레헴에서 그의 아버지의 양을 칠 때

에
16 그 블레셋 사람이 사십 일을 조석으로 나와서 몸을 나타내었더라
17 이새가 그의 아들 다윗에게 이르되 지금 네 형들을 위하여 이 볶은 곡식 한 에바와 이 떡 열 덩이를 가지고 진영으로 속히 가서 네 형들에게 주고
18 이 치즈 열 덩이를 가져다가 그들의 천부장에게 주고 네 형들의 안부를 살피고 증표를 가져오라
19 그 때에 사울과 그들과 이스라엘 모든 사람들은 엘라 골짜기에서 블레셋 사람들과 싸우는 중이더라
20 다윗이 아침에 일찍이 일어나서 양을 양 지키는 자에게 맡기고 이새가 명령한 대로 가지고 가서 진영에 이른즉 마침 군대가 전장에 나와서 싸우려고 고함치며
21 이스라엘과 블레셋 사람들이 전열을 벌이고 양군이 서로 대치하였더라
22 다윗이 자기의 짐을 짐 지키는 자의 손에 맡기고 군대로 달려가서 형들에게 문안하고
23 그들과 함께 말할 때에 마침 블레셋 사람의 싸움 돋우는 가드 사람 골리앗이라 하는 자가 그 전열에서 나와서 전과 같은 말을 하매 다윗이 들으니라
24 이스라엘 모든 사람이 그 사람을 보고 심히 두려워하여 그 앞에서 도망하며
25 이스라엘 사람들이 이르되 너희가 이 올라 온 사람을 보았느냐 참으로 이스라엘을 모욕하러 왔도다 그를 죽이는 사람은 왕이 많은 재물로 부하게 하고 그의 딸을 그에게 주고 그 아버지의 집을 이스라엘 중에서 세금을 면제하게 하시리라
26 다윗이 곁에 서 있는 사람들에게 말하여 이르되 이 블레셋 사람을 죽여 이스라엘의 치욕을 제거하는 사람에게는 어떠한 대우를 하겠느냐 이 할례

받지 않은 블레셋 사람이 누구이기에 살아 계시는 하나님의 군대를 모욕하겠느냐
27 백성이 전과 같이 말하여 이르되 그를 죽이는 사람에게는 이러이러하게 하시리라 하니라
28 큰형 엘리압이 다윗이 사람들에게 하는 말을 들은지라 그가 다윗에게 노를 발하여 이르되 네가 어찌하여 이리로 내려왔느냐 들에 있는 양들을 누구에게 맡겼느냐 나는 네 교만과 네 마음의 완악함을 아노니 네가 전쟁을 구경하러 왔도다
29 다윗이 이르되 내가 무엇을 하였나이까 어찌 이유가 없으리이까 하고
30 돌아서서 다른 사람을 향하여 전과 같이 말하매 백성이 전과 같이 대답하니라
31 어떤 사람이 다윗이 한 말을 듣고 그것을 사울에게 전하였으므로 사울이 다윗을 부른지라
32 다윗이 사울에게 말하되 그로 말미암아 사람이 낙담하지 말 것이라 주의 종이 가서 저 블레셋 사람과 싸우리이다 하니
33 사울이 다윗에게 이르되 네가 가서 저 블레셋 사람과 싸울 수 없으리니 너는 소년이요 그는 어려서부터 용사임이니라
34 다윗이 사울에게 말하되 주의 종이 아버지의 양을 지킬 때에 사자나 곰이 와서 양 떼에서 새끼를 물어가면
35 내가 따라가서 그것을 치고 그 입에서 새끼를 건져내었고 그것이 일어나 나를 해하고자 하면 내가 그 수염을 잡고 그것을 쳐죽였나이다
36 주의 종이 사자와 곰도 쳤은즉 살아 계시는 하나님의 군대를 모욕한 이 할례 받지 않은 블레셋 사람이리이까 그가 그 짐승의 하나와 같이 되리이다
37 또 다윗이 이르되 여호와께서 나를 사자의 발톱과 곰의 발톱에서 건져

내셨은즉 나를 이 블레셋 사람의 손에서도 건져내시리이다 사울이 다윗에게 이르되 가라 여호와께서 너와 함께 계시기를 원하노라
38 이에 사울이 자기 군복을 다윗에게 입히고 놋 투구를 그의 머리에 씌우고 또 그에게 갑옷을 입히매
39 다윗이 칼을 군복 위에 차고는 익숙하지 못하므로 시험적으로 걸어 보다가 사울에게 말하되 익숙하지 못하니 이것을 입고 가지 못하겠나이다 하고 곧 벗고
40 손에 막대기를 가지고 시내에서 매끄러운 돌 다섯을 골라서 자기 목자의 제구 곧 주머니에 넣고 손에 물매를 가지고 블레셋 사람에게로 나아가니라

다윗이 골리앗을 이기다

41 블레셋 사람이 방패 든 사람을 앞세우고 다윗에게로 점점 가까이 나아가니라
42 그 블레셋 사람이 둘러보다가 다윗을 보고 업신여기니 이는 그가 젊고 붉고 용모가 아름다움이라
43 블레셋 사람이 다윗에게 이르되 네가 나를 개로 여기고 막대기를 가지고 내게 나아왔느냐 하고 그의 신들의 이름으로 다윗을 저주하고
44 그 블레셋 사람이 또 다윗에게 이르되 내게로 오라 내가 네 살을 공중의 새들과 들짐승들에게 주리라 하는지라
45 다윗이 블레셋 사람에게 이르되 너는 칼과 창과 단창으로 내게 나아 오거니와 나는 만군의 여호와의 이름 곧 네가 모욕하는 이스라엘 군대의 하나님의 이름으로 네게 나아가노라
46 오늘 여호와께서 너를 내 손에 넘기시리니 내가 너를 쳐서 네 목을 베고

블레셋 군대의 시체를 오늘 공중의 새와 땅의 들짐승에게 주어 온 땅으로 이스라엘에 하나님이 계신 줄 알게 하겠고
47 또 여호와의 구원하심이 칼과 창에 있지 아니함을 이 무리에게 알게 하리라 전쟁은 여호와께 속한 것인즉 그가 너희를 우리 손에 넘기시리라
48 블레셋 사람이 일어나 다윗에게로 마주 가까이 올 때에 다윗이 블레셋 사람을 향하여 빨리 달리며
49 손을 주머니에 넣어 돌을 가지고 물매로 던져 블레셋 사람의 이마를 치매 돌이 그의 이마에 박히니 땅에 엎드러지니라
50 다윗이 이같이 물매와 돌로 블레셋 사람을 이기고 그를 쳐죽였으나 자기 손에는 칼이 없었더라
51 다윗이 달려가서 블레셋 사람을 밟고 그의 칼을 그 칼 집에서 빼내어 그 칼로 그를 죽이고 그의 머리를 베니 블레셋 사람들이 자기 용사의 죽음을 보고 도망하는지라
52 이스라엘과 유다 사람들이 일어나서 소리 지르며 블레셋 사람들을 쫓아 가이와 에그론 성문까지 이르렀고 블레셋 사람들의 부상자들은 사아라임 가는 길에서부터 가드와 에그론까지 엎드러졌더라
53 이스라엘 자손이 블레셋 사람들을 쫓다가 돌아와서 그들의 진영을 노략하였고
54 다윗은 그 블레셋 사람의 머리를 예루살렘으로 가져가고 갑주는 자기 장막에 두니라

다윗이 사울 앞에 서다

55 사울은 다윗이 블레셋 사람을 향하여 나아감을 보고 군사령관 아브넬에게 묻되 아브넬아 이 소년이 누구의 아들이냐 아브넬이 이르되 왕이여

왕의 사심으로 맹세하옵나니 내가 알지 못하나이다 하매
56 왕이 이르되 너는 이 청년이 누구의 아들인가 물어보라 하였더니
57 다윗이 그 블레셋 사람을 죽이고 돌아올 때에 그 블레셋 사람의 머리가 그의 손에 있는 채 아브넬이 그를 사울 앞으로 인도하니
58 사울이 그에게 묻되 소년이여 누구의 아들이냐 하니 다윗이 대답하되 나는 주의 종 베들레헴 사람 이새의 아들이니이다 하니라.

제 18 장

1 다윗이 사울에게 말하기를 마치매 요나단의 마음이 다윗의 마음과 하나가 되어 요나단이 그를 자기 생명 같이 사랑하니라
2 그 날에 사울은 다윗을 머무르게 하고 그의 아버지의 집으로 다시 돌아가기를 허락하지 아니하였고
3 요나단은 다윗을 자기 생명 같이 사랑하여 더불어 언약을 맺었으며
4 요나단이 자기가 입었던 겉옷을 벗어 다윗에게 주었고 자기의 군복과 칼과 활과 띠도 그리하였더라
5 다윗은 사울이 보내는 곳마다 가서 지혜롭게 행하매 사울이 그를 군대의 장으로 삼았더니 온 백성이 합당히 여겼고 사울의 신하들도 합당히 여겼더라

▌사울이 불쾌하여 다윗을 주목하다

6 무리가 돌아올 때 곧 다윗이 블레셋 사람을 죽이고 돌아올 때에 여인들이 이스라엘 모든 성읍에서 나와서 노래하며 춤추며 소고와 경쇠를 가지

고 왕 사울을 환영하는데
7 여인들이 뛰놀며 노래하여 이르되 사울이 죽인 자는 천천이요 다윗은 만만이로다 한지라
8 사울이 그 말에 불쾌하여 심히 노하여 이르되 다윗에게는 만만을 돌리고 내게는 천천만 돌리니 그가 더 얻을 것이 나라 말고 무엇이냐 하고
9 그 날 후로 사울이 다윗을 주목하였더라
10 그 이튿날 하나님께서 부리시는 악령이 사울에게 힘 있게 내리매 그가 집 안에서 정신 없이 떠들어대므로 다윗이 평일과 같이 손으로 수금을 타는데 그 때에 사울의 손에 창이 있는지라
11 그가 스스로 이르기를 내가 다윗을 벽에 박으리라 하고 사울이 그 창을 던졌으나 다윗이 그의 앞에서 두 번 피하였더라
12 여호와께서 사울을 떠나 다윗과 함께 계시므로 사울이 그를 두려워한지라
13 그러므로 사울이 그를 자기 곁에서 떠나게 하고 그를 천부장으로 삼으매 그가 백성 앞에 출입하며
14 다윗이 그의 모든 일을 지혜롭게 행하니라 여호와께서 그와 함께 계시니라
15 사울은 다윗이 크게 지혜롭게 행함을 보고 그를 두려워하였으나
16 온 이스라엘과 유다는 다윗을 사랑하였으니 그가 자기들 앞에 출입하기 때문이었더라

다윗이 사울의 사위가 되다

17 사울이 다윗에게 이르되 내 맏딸 메랍을 네게 아내로 주리니 오직 너는 나를 위하여 용기를 내어 여호와의 싸움을 싸우라 하니 이는 그가 생각하

기를 내 손을 그에게 대지 않고 블레셋 사람들의 손을 그에게 대게 하리라 함이라
18 다윗이 사울에게 이르되 내가 누구며 이스라엘 중에 내 친속이나 내 아버지의 집이 무엇이기에 내가 왕의 사위가 되리이까 하였더니
19 사울의 딸 메랍을 다윗에게 줄 시기에 므홀랏 사람 아드리엘에게 아내로 주었더라
20 사울의 딸 미갈이 다윗을 사랑하매 어떤 사람이 사울에게 알린지라 사울이 그 일을 좋게 여겨
21 스스로 이르되 내가 딸을 그에게 주어서 그에게 올무가 되게 하고 블레셋 사람들의 손으로 그를 치게 하리라 하고 이에 사울이 다윗에게 이르되 네가 오늘 다시 내 사위가 되리라 하니라
22 사울이 그의 신하들에게 명령하되 너희는 다윗에게 비밀히 말하여 이르기를 보라 왕이 너를 기뻐하시고 모든 신하도 너를 사랑하나니 그런즉 네가 왕의 사위가 되는 것이 가하니라 하라
23 사울의 신하들이 이 말을 다윗의 귀에 전하매 다윗이 이르되 왕의 사위 되는 것을 너희는 작은 일로 보느냐 나는 가난하고 천한 사람이라 한지라
24 사울의 신하들이 사울에게 말하여 이르되 다윗이 이러이러하게 말하더이다 하니
25 사울이 이르되 너희는 다윗에게 이같이 말하기를 왕이 아무 것도 원하지 아니하고 다만 왕의 원수의 보복으로 블레셋 사람들의 포피 백 개를 원하신다 하라 하였으니 이는 사울의 생각에 다윗을 블레셋 사람들의 손에 죽게 하리라 함이라
26 사울의 신하들이 이 말을 다윗에게 아뢰매 다윗이 왕의 사위 되는 것을 좋게 여기므로 결혼할 날이 차기 전에
27 다윗이 일어나서 그의 부하들과 함께 가서 블레셋 사람 이백 명을 죽이

고 그들의 포피를 가져다가 수대로 왕께 드려 왕의 사위가 되고자 하니 사울이 그의 딸 미갈을 다윗에게 아내로 주었더라
28 여호와께서 다윗과 함께 계심을 사울이 보고 알았고 사울의 딸 미갈도 그를 사랑하므로
29 사울이 다윗을 더욱더욱 두려워하여 평생에 다윗의 대적이 되니라
30 블레셋 사람들의 방백들이 싸우러 나오면 그들이 나올 때마다 다윗이 사울의 모든 신하보다 더 지혜롭게 행하매 이에 그의 이름이 심히 귀하게 되니라.

제 19 장

▌ 사울이 다윗을 죽이려 하다

1 사울이 그의 아들 요나단과 그의 모든 신하에게 다윗을 죽이라 말하였더니 사울의 아들 요나단이 다윗을 심히 좋아하므로
2 그가 다윗에게 말하여 이르되 내 아버지 사울이 너를 죽이기를 꾀하시느니라 그러므로 이제 청하노니 아침에 조심하여 은밀한 곳에 숨어 있으라
3 내가 나가서 네가 있는 들에서 내 아버지 곁에 서서 네 일을 내 아버지와 말하다가 무엇을 보면 네게 알려 주리라 하고
4 요나단이 그의 아버지 사울에게 다윗을 칭찬하여 이르되 원하건대 왕은 신하 다윗에게 범죄하지 마옵소서 그는 왕께 득죄하지 아니하였고 그가 왕께 행한 일은 심히 선함이니이다
5 그가 자기 생명을 아끼지 아니하고 블레셋 사람을 죽였고 여호와께서는 온 이스라엘을 위하여 큰 구원을 이루셨으므로 왕이 이를 보고 기뻐하셨

거늘 어찌 까닭 없이 다윗을 죽여 무죄한 피를 흘려 범죄하려 하시나이까
6 사울이 요나단의 말을 듣고 맹세하되 여호와께서 살아 계심을 두고 맹세하거니와 그가 죽임을 당하지 아니하리라
7 요나단이 다윗을 불러 그 모든 일을 그에게 알리고 요나단이 그를 사울에게로 인도하니 그가 사울 앞에 전과 같이 있었더라
8 전쟁이 다시 있으므로 다윗이 나가서 블레셋 사람들과 싸워 그들을 크게 쳐죽이매 그들이 그 앞에서 도망하니라
9 사울이 손에 단창을 가지고 그의 집에 앉았을 때에 여호와께서 부리시는 악령이 사울에게 접하였으므로 다윗이 손으로 수금을 탈 때에
10 사울이 단창으로 다윗을 벽에 박으려 하였으나 그는 사울의 앞을 피하고 사울의 창은 벽에 박힌지라 다윗이 그 밤에 도피하매
11 사울이 전령들을 다윗의 집에 보내어 그를 지키다가 아침에 그를 죽이게 하려 한지라 다윗의 아내 미갈이 다윗에게 말하여 이르되 당신이 이 밤에 당신의 생명을 구하지 아니하면 내일에는 죽임을 당하리라 하고
12 미갈이 다윗을 창에서 달아 내리매 그가 피하여 도망하니라
13 미갈이 우상을 가져다가 침상에 누이고 염소 털로 엮은 것을 그 머리에 씌우고 의복으로 그것을 덮었더니
14 사울이 전령들을 보내어 다윗을 잡으려 하매 미갈이 이르되 그가 병들었느니라
15 사울이 또 전령들을 보내어 다윗을 보라 하며 이르되 그를 침상째 내게로 들고 오라 내가 그를 죽이리라
16 전령들이 들어가 본즉 침상에는 우상이 있고 염소 털로 엮은 것이 그 머리에 있었더라
17 사울이 미갈에게 이르되 너는 어찌하여 이처럼 나를 속여 내 대적을 놓아 피하게 하였느냐 미갈이 사울에게 대답하되 그가 내게 이르기를 나를

놓아 가게 하라 어찌하여 나로 너를 죽이게 하겠느냐 하더이다 하니라
18 다윗이 도피하여 라마로 가서 사무엘에게로 나아가서 사울이 자기에게 행한 일을 다 전하였고 다윗과 사무엘이 나욧으로 가서 살았더라
19 어떤 사람이 사울에게 전하여 이르되 다윗이 라마 나욧에 있더이다 하매
20 사울이 다윗을 잡으러 전령들을 보냈더니 그들이 선지자 무리가 예언하는 것과 사무엘이 그들의 수령으로 선 것을 볼 때에 하나님의 영이 사울의 전령들에게 임하매 그들도 예언을 한지라
21 어떤 사람이 그것을 사울에게 알리매 사울이 다른 전령들을 보냈더니 그들도 예언을 했으므로 사울이 세 번째 다시 전령들을 보냈더니 그들도 예언을 한지라
22 이에 사울도 라마로 가서 세구에 있는 큰 우물에 도착하여 물어 이르되 사무엘과 다윗이 어디 있느냐 어떤 사람이 이르되 라마 나욧에 있나이다
23 사울이 라마 나욧으로 가니라 하나님의 영이 그에게도 임하시니 그가 라마 나욧에 이르기까지 걸어가며 예언을 하였으며
24 그가 또 그의 옷을 벗고 사무엘 앞에서 예언을 하며 하루 밤낮을 벗은 몸으로 누웠더라 그러므로 속담에 이르기를 사울도 선지자 중에 있느냐 하니라.

제 20 장

▌ 요나단이 다윗을 돕다

1 다윗이 라마 나욧에서 도망하여 요나단에게 이르되 내가 무엇을 하였으

며 내 죄악이 무엇이며 네 아버지 앞에서 내 죄가 무엇이기에 그가 내 생명을 찾느냐

2 요나단이 그에게 이르되 결단코 아니라 네가 죽지 아니하리라 내 아버지께서 크고 작은 일을 내게 알리지 아니하고는 행하지 아니하나니 내 아버지께서 어찌하여 이 일은 내게 숨기리요 그렇지 아니하니라

3 다윗이 또 맹세하여 이르되 내가 네게 은혜 받은 줄을 네 아버지께서 밝히 알고 스스로 이르기를 요나단이 슬퍼할까 두려운즉 그에게 이것을 알리지 아니하리라 함이니라 그러나 진실로 여호와의 살아 계심과 네 생명을 두고 맹세하노니 나와 죽음의 사이는 한 걸음 뿐이니라

4 요나단이 다윗에게 이르되 네 마음의 소원이 무엇이든지 내가 너를 위하여 그것을 이루리라

5 다윗이 요나단에게 이르되 내일은 초하루인즉 내가 마땅히 왕을 모시고 앉아 식사를 하여야 할 것이나 나를 보내어 셋째 날 저녁까지 들에 숨게 하고

6 네 아버지께서 만일 나에 대하여 자세히 묻거든 그 때에 너는 말하기를 다윗이 자기 성읍 베들레헴으로 급히 가기를 내게 허락하라 간청하였사오니 이는 온 가족을 위하여 거기서 매년 제를 드릴 때가 됨이니이다 하라

7 그의 말이 좋다 하면 네 종이 평안하려니와 그가 만일 노하면 나를 해하려고 결심한 줄을 알지니

8 그런즉 바라건대 네 종에게 인자하게 행하라 네가 네 종에게 여호와 앞에서 너와 맹약하게 하였음이니라 그러나 내게 죄악이 있으면 네가 친히 나를 죽이라 나를 네 아버지에게로 데려갈 이유가 무엇이냐 하니라

9 요나단이 이르되 이 일이 결코 네게 일어나지 아니하리라 내 아버지께서 너를 해치려 확실히 결심한 줄 알면 내가 네게 와서 그것을 네게 이르지 아니하겠느냐 하니

10 다윗이 요나단에게 이르되 네 아버지께서 혹 엄하게 네게 대답하면 누가 그것을 내게 알리겠느냐 하더라

11 요나단이 다윗에게 이르되 오라 우리가 들로 가자 하고 두 사람이 들로 가니라

12 요나단이 다윗에게 이르되 이스라엘의 하나님 여호와께서 증언하시거니와 내가 내일이나 모레 이맘때에 내 아버지를 살펴서 너 다윗에게 대한 의향이 선하면 내가 사람을 보내어 네게 알리지 않겠느냐

13 그러나 만일 내 아버지께서 너를 해치려 하는데도 내가 이 일을 네게 알려 주어 너를 보내어 평안히 가게 하지 아니하면 여호와께서 나 요나단에게 벌을 내리시고 또 내리시기를 원하노라 여호와께서 내 아버지와 함께 하신 것 같이 너와 함께 하시기를 원하노니

14 너는 내가 사는 날 동안에 여호와의 인자하심을 내게 베풀어서 나를 죽지 않게 할 뿐 아니라

15 여호와께서 너 다윗의 대적들을 지면에서 다 끊어 버리신 때에도 너는 네 인자함을 내 집에서 영원히 끊어 버리지 말라 하고

16 이에 요나단이 다윗의 집과 언약하기를 여호와께서는 다윗의 대적들을 치실지어다 하니라

17 다윗에 대한 요나단의 사랑이 그를 다시 맹세하게 하였으니 이는 자기 생명을 사랑함 같이 그를 사랑함이었더라

18 요나단이 다윗에게 이르되 내일은 초하루인즉 네 자리가 비므로 네가 없음을 자세히 물으실 것이라

19 너는 사흘 동안 있다가 빨리 내려가서 그 일이 있던 날에 숨었던 곳에 이르러 에셀바위 곁에 있으라

20 내가 과녁을 쏘려 함 같이 화살 셋을 그 바위 곁에 쏘고

21 아이를 보내어 가서 화살을 찾으라 하며 내가 짐짓 아이에게 이르기를

보라 화살이 네 이쪽에 있으니 가져오라 하거든 너는 돌아올지니 여호와께서 살아 계심을 두고 맹세하노니 네가 평안 무사할 것이요
22 만일 아이에게 이르기를 보라 화살이 네 앞쪽에 있다 하거든 네 길을 가라 여호와께서 너를 보내셨음이니라
23 너와 내가 말한 일에 대하여는 여호와께서 너와 나 사이에 영원토록 계시느니라 하니라
24 다윗이 들에 숨으니라 초하루가 되매 왕이 앉아 음식을 먹을 때에
25 왕은 평시와 같이 벽 곁 자기 자리에 앉아 있고 요나단은 서 있고 아브넬은 사울 곁에 앉아 있고 다윗의 자리는 비었더라
26 그러나 그 날에는 사울이 아무 말도 하지 아니하였으니 이는 생각하기를 그에게 무슨 사고가 있어서 부정한가보다 정녕히 부정한가보다 하였음이더니
27 이튿날 곧 그 달의 둘째 날에도 다윗의 자리가 여전히 비었으므로 사울이 그의 아들 요나단에게 묻되 이새의 아들이 어찌하여 어제와 오늘 식사에 나오지 아니하느냐 하니
28 요나단이 사울에게 대답하되 다윗이 내게 베들레헴으로 가기를 간청하여
29 이르되 원하건대 나에게 가게 하라 우리 가족이 그 성읍에서 제사할 일이 있으므로 나의 형이 내게 오기를 명령하였으니 내가 네게 사랑을 받거든 내가 가서 내 형들을 보게 하라 하였으므로 그가 왕의 식사 자리에 오지 아니하였나이다 하니
30 사울이 요나단에게 화를 내며 그에게 이르되 패역무도한 계집의 소생아 네가 이새의 아들을 택한 것이 네 수치와 네 어미의 벌거벗은 수치됨을 내가 어찌 알지 못하랴
31 이새의 아들이 땅에 사는 동안은 너와 네 나라가 든든히 서지 못하리라

그런즉 이제 사람을 보내어 그를 내게로 끌어 오라 그는 죽어야 할 자이니라 한지라
32 요나단이 그의 아버지 사울에게 대답하여 이르되 그가 죽을 일이 무엇이니이까 무엇을 행하였나이까
33 사울이 요나단에게 단창을 던져 죽이려 한지라 요나단이 그의 아버지가 다윗을 죽이기로 결심한 줄 알고
34 심히 노하여 식탁에서 떠나고 그 달의 둘째 날에는 먹지 아니하였으니 이는 그의 아버지가 다윗을 욕되게 하였으므로 다윗을 위하여 슬퍼함이었더라
35 아침에 요나단이 작은 아이를 데리고 다윗과 정한 시간에 들로 나가서
36 아이에게 이르되 달려가서 내가 쏘는 화살을 찾으라 하고 아이가 달려갈 때에 요나단이 화살을 그의 위로 지나치게 쏘니라
37 아이가 요나단이 쏜 화살 있는 곳에 이를 즈음에 요나단이 아이 뒤에서 외쳐 이르되 화살이 네 앞쪽에 있지 아니하냐 하고
38 요나단이 아이 뒤에서 또 외치되 지체 말고 빨리 달음질하라 하매 요나단의 아이가 화살을 주워 가지고 주인에게로 돌아왔으나
39 그 아이는 아무것도 알지 못하고 요나단과 다윗만 그 일을 알았더라
40 요나단이 그의 무기를 아이에게 주며 이르되 이것을 가지고 성읍으로 가라 하니
41 아이가 가매 다윗이 곧 바위 남쪽에서 일어나서 땅에 엎드려 세 번 절한 후에 서로 입 맞추고 같이 울되 다윗이 더욱 심하더니
42 요나단이 다윗에게 이르되 평안히 가라 우리 두 사람이 여호와의 이름으로 맹세하여 이르기를 여호와께서 영원히 나와 너 사이에 계시고 내 자손과 네 자손 사이에 계시리라 하였느니라 하니 다윗은 일어나 떠나고 요나단은 성읍으로 들어가니라

사무엘서에 나오는 주요 인물 소개

- 출처: IVP 성경 사전
- 지은이: 데릭 윌리엄스
- 옮긴이: 이정석 외
- 한국기독학생회출판부, 1992년

▌다윗 DAVID

성경에서 다윗이라는 이름을 가진 인물은 오직 한 사람뿐이다. 그는 이새의 막내아들로 이스라엘의 두 번째 왕의 되었으며, 특별히 구속사적으로 예수 그리스도의 선조, 예표 모형으로서 독특한 위치를 차지하고 잇다. 신약에서, 그에 대한 언급은 자주 반복되는 예수님의 호칭인 '다윗의 자손'을 포함하여 58회나 나타난다. 그의 이야기는 삼상 16장에서 왕상 2장 사이에 나오며, 대상 2-29장에서도 기록되어 있다.

그는 룻과 보아스의 증손으로, 8형제 중 막내로 형들의 시기의 대상이었으며, 목동으로 자랐다. 사무엘은 비공식적으로 그를 사울 왕의 후계자로 기름 부었으며, 다윗은 음악으로 왕을 진정시키는 일을 하기 위해 사울에게 보내졌다(삼상 16장). 블레셋의 전사인 골리앗을 죽이고 그 포상으로 사울의 딸을 얻은 후, 다윗은 사울의 시기의 대상이 되었다(삼상 17장; 18:8, 9). 다윗이 사울의 자녀인 요나단과 미갈의 도움으로 사울의 살해 음모를 피하기는 했지만, 그는 끊임없이 피해 다녀야 하는 법의 방치자가 되었다(삼상 18, 19장). 사울은 다윗을 돕는 사람들을 잔인하게 징벌하였다(삼상 22:6 이하). 다윗은 군대를 모집해서 이스라엘의 적국들을 공격하고 탈주자나 망명자들에게 음식을 제공하는 변방의 이스라엘 지역 사회를 보호해 주었다. 그는 블레셋과 조약을 체결하였으나, 그들이 그를 충분히 믿지 못하고 이스라엘을 공격하였는데, 다행히도 이 전투에서 사울이 사망했다. 다윗은 자비롭게도 그의 선왕인 사울의 죽음을 감동적으로 애도했다. "오호라, 용사가 엎드러졌도다"(삼하 1:19 이하).

그는 30세에 헤브론에서 유다 지파의 왕으로 기름 부음 받았으며, 2년의 내전 후에 이스라엘의 모든 열두 지파의 왕으로 기름 부음 받았고 그 후 수도를 예루살렘으로 천도하였다. 그는 이스라엘을 영도하여 조직적으로 주변 국가들을 완전히 복속시켜 나갔으며, 그의 영향력은 남으로 애굽 국경으로부터 북으로 유브라데 강 북부까지 이르렀고, 그리하여 경제적 융성기를 열었다. 그는 언약궤를 예루살렘으로 가져와 특별한 성막에 안치하였으며, 이로 인해 이 도시가 종교적 요지가 되는 초석을 다졌다. 그러나 경제적 풍요와 종교적 열정의 절정에서 항상 그와 함께 기억되는 죄, 즉 밧세바를 간음하고 곧이어 그의 남편 우리아를 계획적으로 살인하는 죄를 범했다(삼하 11, 12장). 그는 깊이 회개했으나 범행은 저질러졌으며, 그 범행은 죄가 하나님의 뜻을 얼마나 손상시키는지를 보여주는 본보기가 되었다. 후에, 다윗의 아들 압살롬이 자기 아버지에게 냉혹하고도 피비린내 나는 반역을 저지른 후 죽임을 당해야 했다. 다윗이 범죄 한 후 나단 선지자가 예언한 가족 간의 살상은 그의 당대뿐 아니라, 그가 죽은 후에도 계속되었다.

다윗은 시인과 가수로도 유명하다(삼하 23:1 참고). 성경의 시편 중 일흔세 편의 시가 '다윗의 시'로 명시되어 있으며, 그중 상당수는 분명히 그가 쓴 흔적이 있다. 비록 불완전했으나, 그는 인간이 흠모할 만하고 건전

한 모든 것을 가지고 있었던 행동가요, 시인이며, 부드러운 연인이고, 관대한 적이며 엄격한 정의의 시행자였다. 유대인들은 그에게서, 앞으로 오실 메시아의 모습에서 나타날 왕적 이상을 보았으며, 실제로 메시아가 다윗의 가문에서 출현했다.

▌사울 SAUL

이스라엘의 첫 번째 왕. 그의 가슴 아픈 이야기가 삼상 9-31장에 기록되어 있다. 그는 체격과 용모가 뛰어났다. 그는 사무엘에게 기름 부음을 받았는데, 사무엘은 그가 이스라엘 백성들에게 하기 싫은 일들을 시키게 될 것이라고 경고했다(삼상 8, 10장). 사울은 얼마 후에 전쟁에서 크게 승리했고, 그것 때문에 도량이 큰 사람으로 알려졌다(삼상 11장). 그러나 그는 세 번씩이나 스스로를 부적격자로 만들었다. 먼저 그는 성급함으로 월권행위를 했다(삼상 13:7 이하). 그 때문에 사무엘은 그의 왕권에 대한 부정적인 예언을 했다. 그리고 그는 아말렉 족속들 중 일부를 살려 두어 하나님께 불순종했고(삼상 15장), 세 번째로 죽은 사무엘과 대화하기 위하여 무당을 찾아갔다. 이처럼 죽은 자와의 대화를 시도하면서 그의 운명이 분명해졌다(삼상 28장). 그의 말년에는 실제적인 계승자인 다윗과의 괴로운 갈등이 계속되었다. 그는 특별히 감수성이 예민하고 우유부단한 사람이었지만, 그의 불순종은 성경 저자들에 의해 용서받을 수 없는 것으로 제시되었다.

사무엘 SAMUEL

사울과 다윗 시대의 선지자로서 성경 중 두 권에 그의 이름이 붙여졌다. 행 3:24에서 그는 처음 선지자로 여겨졌으며, 행 13:20에서는 마지막 사사로 언급되었다. 그의 모친 한나는 한동안 아이를 낳을 수 없었는데, 사무엘을 잉태하자 그를 하나님께 나실인으로 바쳤다. 그는 실로에 있는 성전에서 제사장 엘리에게 양육되었으며, 그곳에서 선지자로서의 소명을 받았다(삼상 1-3장). 블레셋이 법궤를 빼앗아 간 후, 사무엘은 미스바에서 이스라엘을 승리로 이끌었고(삼상 4장), 그 후 순회 사사가 되었다(삼상 7장). 이스라엘 백성들은 그가 나이 들었을 때 왕을 요구했고, 사무엘은 하나님의 인도하심에 따라 사울에게 기름을 부었다(삼상 8-12장). 사울이 월권을 행사하여 직접 제사를 드리자, 사무엘은 더 이상 그와 함께 행할 수 없었고(삼상 13-15장), 비밀리에 다윗을 사울의 후계자로 기름 부었다(삼상 16장). 그는 선지자, 사사, 전쟁 지도자, 국가의 지도자, 제사장의 역할도 한 듯한데, 이로 인해 일부 학자들은 그에 관한 설화의 역사성을 의심했다. 그러나 사사들은 사법적, 국가적, 군사적 역할을 수행했으며, 일부 선지자들은 제사장 역할까지도 감당했다. 위기와 과도기적인 시기에 사무엘은 예외적인 역할까지 감당할 수밖에 없었다. 사무엘서를 보라.

요나단 JONATHAN

(문. '여호와께서 주셨다.') 구약에 이 이름으로 등장하는 사람들은 여러 명 있다. 그중 사울의 장자이자 왕위 상속권자였던 요나단은, 훗날 사울에 이어 왕위에 올라 탁월한 업적을 남겼던 다윗과 깊은 우정을 나누었다(삼

상 20:31 이하). 그는 유능하고 용맹스러운 전사였으며(삼하 1:22) 블레셋의 요새를 단신으로 공격한 무용담으로 유명하다(삼상 14:6 이하). 요나단은 다윗과 맺은 우정의 약속을 지키기 위해 자신의 아버지를 속이고 생명의 위험을 무릅쓰기까지 했는데(삼상 19, 20장), 이러한 사실은 진리에 충성하는 자의 전형을 보여준다. 그는 그의 아버지와 같이 전사했다(삼상 31:2).

미갈 MICHAL

다윗과 결혼한 사울의 작은 딸(삼상 18:20 이하). 다윗이 쫓기는 동안 사울은 그녀를 발디에게 아내로 주었지만(삼상 25:44), 나중에 그에게로 다시 돌아오게 되었다(삼하 3:14 이하). 그녀는 다윗이 여호와 앞에서 춤을 추는 것을 보고 업신여겼으며 이로 인해 아이를 낳지 못하게 되었다(삼하 6:12 이하). 어떤 역본들에는 삼하 21:8의 아들들이 미갈이 아닌 메랍의 아들들로 나타나 있다.

사무엘서 BOOKS OF SAMUEL

이 두 권의 책은 원래 하나였다. 이것이 나뉘게 된 것은 70인역부터이지만 히브리어 성경에서 나누어지게 된 것은 AD 15세기가 되어서였다. 70인역은 또한 이 두 권의 책을 열왕기서와 연결시켰고 라틴어 성경(벌게이트)은 이것들을 열왕기 1-4서로 분류했다. 많은 학자들이 사무엘 열왕기서는 편집 구조와 형태가 다르다 할지라도 전에는 하나였다고 믿는다.

- 내용: 본서는 BC 1050-950년 경의 이야기이다. 사무엘의 초기 사역(삼상 1:1-7:14); 사무엘과 사울(삼상 7:15-15:35); 사울과 다윗(삼상 16-31장); 다윗의 초기 통치(삼하 1-8장); 다윗의 노년(삼하 21-24장)으로 구성되어 있다.
- 기원과 구성: 제목은 그리 적절한 것이 아닌데, 그것은 사무엘의 죽음이 삼상 25:1에 기록되어 있어 그가 전체를 다 기술한 것이 아니기 때문이다. 세 명의 주요 인물 즉 사무엘과 사울과 다윗의 시대를 모두 살았던 사람은 아무도 없을 것이다. 그러므로 저자가 이전의 문서를 사용하였으리라는 것은 의심할 여지가 없다. '오늘까지'란 언급(예, 삼상 27:6)은 본서의 사건과 기록 시기가 상당히 떨어져 있음을 시사해준다. 오늘날의 학자들은 본서를 여러 발달 단계를 거친 개인적 설화의 합성물로 생각한다. 1904년 케네디(A. Kennedy)는 다섯 개의 기본 문서가 포함되었다고 주장했는데, 다른 학자들은 그의 주장을 받아들이면서 조금씩 수정하였다. 사무엘의 초기 역사, 언약궤의 역사, 왕정의 순조로운 역사, 왕정의 적대적인 역사와 다윗의 왕궁 역사가 그것이다. 그러나 원전의 정확한 수와 특징은 아직도 논란의 여지가 많다. 일반적으로 본서의 편집자가 문서를 선택할 때 자신의 감정이 개입되지 않도록 세심한 주의를 기울였다는 사실에는 의견이 일치하고 있다.
- 목적: 본서에는 왕조에 대한 긍정적인 견해와 부정적인 견해가 조합되어 있어 긴장감이 돈다. 본서는 단순히 반대

견해가 실려 있는 합성 문서가 아니다. 본서의 최종 저자는 왕조를 하나님께서 제정하신 기관이라 보지만 각 왕에 대하여는 독립적인 견해를 취하고 있다고 보는 전형적인 선지자적 입장을 가지고 있음을 알 수 있다. 그의 전기적 관심은 차치하고라도, 본서의 저자는 선택과 버림에 매우 관심이 있었다.

송옥

고려대학교에서 영문학을 공부한 후, 미국의 센트럴 워싱턴 대학교(Central Washington U.)에서 아동드라마로 석사학위를 받고, 미국의 오리건 대학교(U. of Oregon)에서 극 문학으로 박사학위를 받았다. 한국현대영미드라마학회 회장과 한국고전중세르네상스영문학회 회장을 역임했으며, 고려대학교 영어교육과 교수를 지낸 후, 현재 고려대학교 영어교육과 명예교수로 있다. 저술에는 「*Oedipus Rex*와 비극정신」「Teaching Shakespeare: 텍스트와 무대」「*The Ghost Sonata*에 나타난 소나타형식의 영향」 등을 비롯한 많은 논문과 『비극과 희극, 그 의미와 형식』(공편) 『영국 르네상스드라마의 세계』(공저) 『서양드라마 명대사 명장면 24선』(공저) 그리고 창작시화집 『참새들의 연가』가 있다.

다윗

발행일 2021년 12월 8일
옮긴이 송옥
발행인 이성모
발행처 도서출판 동인
주 소 서울시 종로구 혜화로3길 5 118호
등 록 제1-1599호
TEL (02) 765-7145 / **FAX** (02) 765-7165
E-mail dongin60@chol.com
Homepage www.donginbook.co.kr
ISBN 978-89-5506-851-1
정 가 16,000원

※ 잘못 만들어진 책은 바꾸어 드립니다.